# Le petit livre de la
# future maman

Dr Véronique Lejeune, gynécologue
Véronique Feydy

FIRST
Editions

© Éditions First, un département d'Édi8, 2014

Première édition : © Éditions First, 2010

ISBN 978-2-7540-5919-0
Dépôt légal : mars 2014
Imprimé en France

Direction éditoriale : Aurélie Starckmann
Édition : Audrey Bernard
Mise en page : Olivier Frenot
Couverture : Joséphine Cormier

Éditions First, un département d'Édi8
12, avenue d'Italie
75 013 Paris – France
Tél. : 01 44 16 09 00
Fax : 01 44 16 09 01
E-mail : firstinfo@efirst.com
Site internet : www.editionsfirst.fr

# Sommaire

Introduction ......................................................... 5

**Enceinte ou non?** ................................................. 7

1. Êtes-vous enceinte?
   Les signes avant-coureurs de grossesse .............. 7
2. Les tests de grossesse : mode d'emploi .............. 8
3. Si vous n'êtes pas enceinte ........................... 9
4. Que peut faire la médecine pour vous aider? ...... 12
5. Vous êtes enceinte! .................................. 14
6. Et le papa dans tout ça? ............................. 15
7. Quand mon enfant va-t-il naître? ................... 17
8. Fille ou garçon? ...................................... 18
9. Grossesses normales, grossesses à risques ....... 20
10. La naissance d'une mère ............................ 21
11. Faire connaissance avec votre enfant ............. 22

**Les trois premiers mois** ........................................ 23

12. Comment se développent l'embryon et le fœtus? ... 23
13. Votre corps se transforme .......................... 25
14. Quels sont les risques du début? .................. 26
15. Les examens recommandés et facultatifs .......... 30
16. Le choix de sa maternité; le suivi
    de la grossesse ...................................... 47
17. Les démarches à effectuer .......................... 56

**Du troisième au sixième mois** ................................ 59

18. Comment se développe le fœtus? .................. 59
19. Votre corps se transforme .......................... 61
20. Les examens recommandés et facultatifs .......... 62
21. Les démarches du deuxième trimestre ............. 65

**Les trois derniers mois** 67

&#x2776;&#x2785; Comment le fœtus se développe? ................... 67

&#x2776;&#x2786; Votre corps se transforme ........................ 68

&#x2776;&#x2787; Les examens recommandés et facultatifs .......... 69

&#x2776;&#x2788; Les démarches du dernier trimestre .............. 72

**Vous et votre corps** 77

&#x2776;&#x2789; Votre vie quotidienne ........................... 77

&#x2776;&#x278A; Bien manger pendant la grossesse ................ 83

&#x2776;&#x278B; Les malaises courants ........................... 85

&#x2776;&#x278C; Les maladies qui peuvent survenir ............... 87

&#x2776;&#x278D; Les relations avec les autres, le travail .......... 90

**L'accouchement** 99

&#x2776;&#x278E; Tu n'enfanteras plus dans la douleur ............. 99

&#x2776;&#x278F; La préparation à l'accouchement ................ 102

&#x2776;&#x2790; Quand partir à la maternité? .................... 103

&#x2776;&#x2791; Le travail et la mise au monde .................. 107

&#x2776;&#x2792; Les imprévus de la mise au monde .............. 112

**Après l'accouchement** 115

&#x2776;&#x2793; Votre enfant, comment va-t-il? Premiers tests .... 115

&#x2777;&#x2776; À quoi ressemble votre enfant? .................. 119

&#x2777;&#x2777; Premiers jours, premiers soins ................... 122

&#x2777;&#x2778; *Baby-blues* et retour de couches ................ 129

&#x2777;&#x2779; Le retour à la maison ........................... 134

**Petit vocabulaire de la grossesse** 137

**Sigles et adresses utiles** 151

**Index** 155

# Introduction

Vous voulez un bébé ou vous êtes déjà enceinte ? Attendez-vous à vivre 9 mois de changements profonds, 9 mois qui vont vous permettre de préparer au mieux son arrivée. Aujourd'hui, les avancées de la médecine sont telles que les conditions dans lesquelles une femme peut vivre une grossesse ne sont plus du tout les mêmes qu'il y a trente ans encore. À tel point que beaucoup de femmes et de couples qui étaient naguère obligés de renoncer à leur souhait de fonder une famille peuvent aujourd'hui légitimement espérer y parvenir. Par ailleurs, les femmes et les couples qui désirent un enfant sont mieux à même de choisir le bon moment et la meilleure façon de le mettre au monde.

Pourtant, la notion du « bon enfant au bon moment », outre qu'elle n'est pas évidente, ne doit pas devenir une panacée, ni une contrainte. S'il est souhaitable, et souvent médicalement possible, de mettre toutes les chances de son côté, que ce soit dans le cas d'une grossesse naturelle ou d'une grossesse médicalement assistée, un enfant ne peut jamais être « programmé » à 100 %. La venue au monde d'un enfant reste une aventure pleine d'imprévus, parfois difficile, mais toujours riche de sensations nouvelles. Pour vivre au mieux ces moments, il est nécessaire d'être bien informée tout au long de la grossesse. Ce petit livre n'a d'autre ambition que de vous y aider.

# ENCEINTE OU NON?

●

## ❶ ÊTES-VOUS ENCEINTE?
## LES SIGNES AVANT-COUREURS DE GROSSESSE

Nous connaissons tous autour de nous des cas de femmes qui se découvrent enceintes au bout du deuxième ou du troisième mois seulement; de fait, les **signes de grossesse** sont nombreux, peut-être, mais pas toujours faciles à percevoir. De plus, ils ne constituent jamais une certitude. Enfin, ils sont souvent différents d'une grossesse à l'autre et d'une femme à l'autre. Certaines femmes ont très vite l'intuition qu'elles sont enceintes alors qu'aucun signe avant-coureur ne se fait sentir.

Le **retard de règles** est souvent le premier signe. Toutefois, le seul désir de grossesse peut modifier la psychologie des femmes et provoquer des **irrégularités menstruelles**. De plus, il est difficile à interpréter chez les femmes qui ont des cycles irréguliers ou lorsque la grossesse survient juste après l'arrêt de la pilule. Les **nausées**, les **troubles de l'appétit** ou l'**envie** d'autre chose, le ballonnement du ventre, les dérèglements du **sommeil**, le **gonflement de la poitrine** ou une forte sensibilité du bout des seins, le sentiment confus d'être dans un état bizarre sont également des signes favorables. Tout cela ne vous donne pas pour autant la certitude d'être enceinte. En effet, pris isolément, chacun de ces symptômes peut être ressenti par une femme sans qu'elle soit enceinte ; en revanche, la conjonction de deux ou plusieurs de ces symptômes, associée à un retard de règles, doit vous mettre en éveil… Vous avez de fortes chances d'attendre un enfant.

## ❷ LES TESTS DE GROSSESSE : MODE D'EMPLOI

Pour avoir la certitude que vous êtes enceinte, inutile de vous précipiter dans un laboratoire pour faire une prise de sang, vous pouvez effectuer vous-même un test urinaire de grossesse que vous aurez acheté chez votre pharmacien ou en grande surface. Ces tests immunologiques de grossesse reposent sur la **recherche dans les urines du matin** d'une hormone particulière, dite **hormone hCG***. Absente en temps normal, cette hormone signale l'existence d'une grossesse dès le dixième jour après la **fécondation**. Ces tests (vendus en pharmacie : Clearblue®, G Test pro®, Prelude®…) sont bon marché (moins de 15 €), particulièrement simples à utiliser et donnent presque instantanément (on obtient le résultat en trois à cinq minutes) des résultats très fiables (à 95 %), surtout si on prend la précaution de les effectuer sur les premières urines du matin, plus concentrées.

........................................................................

 **Attention**, *si vous effectuez ce test trop tôt, il y a un risque d'erreur, car le taux d'hormone hCG est encore trop faible.*

........................................................................

## ❸ SI VOUS N'ÊTES PAS ENCEINTE

**Le résultat du test de grossesse est négatif :** vous pouvez recommencer une fois le test si vous pensez que vous l'avez pratiqué trop tôt. Seul le retour de vos règles vous apportera la confirmation du test. Vous n'êtes pas enceinte cette fois. Ne vous alarmez pas. Sachez que les moments favorables, les périodes de fertilité, sont variables chez les femmes et que beaucoup de facteurs psychologiques peuvent entrer en jeu.

De plus, si vous preniez la pilule depuis longtemps et que vous venez juste d'arrêter, il faudra parfois attendre quelques semaines, voire quelques mois pour que votre fertilité soit normale. Si vous utilisiez un stérilet, cela n'a aucune incidence sur votre fertilité. Pour mettre toutes les chances de votre côté, l'essentiel est de bien connaître votre cycle et votre période de fertilité. En effet, beaucoup de couples modifient la fréquence de leurs rapports sexuels lorsqu'ils ont décidé d'avoir un enfant pour les concentrer sur la période qu'ils jugent optimale, mais s'ils se trompent, ce qui est fréquent, sur la détermination de cette période, ils diminuent au contraire leurs chances d'obtenir une grossesse. Si vous avez un doute, n'hésitez pas à demander des explications précises à votre médecin.

Le **cycle de la femme** dure en moyenne 28 jours. Il commence avec le premier jour des **règles (menstruations)**. **L'ovulation**, moment où l'ovaire libère un **ovule**\* susceptible d'être fécondé, se situe en général au 14e jour du cycle. Attention, ce qui est fixe, c'est la durée de 14 jours entre l'ovulation et le début des règles suivantes. Ainsi, si vos cycles durent 26 jours, vous ovulez au 12e jour et s'ils durent 32 jours, vous ovulez au 18e jour, etc. Cependant, cette date d'ovulation peut être avancée ou retardée par de nombreux facteurs, notamment psychologiques, ce qui rend les cycles irréguliers.

Il n'y a **fécondation** que lorsque, après un rapport sexuel entre un homme et une femme, l'ovule libéré lors de l'ovulation rencontre pendant son passage dans la trompe\* (qui dure environ 24 heures) des **spermatozoïdes**\* (qui eux peuvent y survivre deux ou trois jours après un

Pour savoir quand se situe précisément votre ovulation, deux méthodes sont possibles :

**La méthode de la température :** elle consiste à prendre régulièrement et à heures fixes votre température, pendant deux ou trois mois, afin de déterminer précisément au cours de chaque cycle à quel moment votre température monte légèrement (0,5 °C). C'est, en effet, lorsque vous passez de la température basse à la température haute que se situe votre ovulation. Cette méthode n'est fiable que si vous notez très sérieusement et sur une assez longue durée votre température sur une courbe que vous aurez demandée à votre médecin ou téléchargée sur Internet. Cependant, ces **courbes** de températures sont assez difficiles à interpréter. Là encore, faites-vous aider par votre médecin. **Notez toujours la date du début de vos dernières règles,** c'est une information qui vous sera très utile.

**Les tests d'ovulation :** ils vous permettent d'établir précisément votre date d'ovulation. Ils sont fondés sur la recherche dans les urines d'une hormone (LH\*) sécrétée juste avant l'ovulation. L'inconvénient de ces tests est qu'ils sont assez coûteux (environ 40 à 45 € les sept dosages). En revanche, ils sont tout à fait faciles à réaliser (on lit le résultat dans la demi-heure) et fiables : si vous pratiquez le test pendant une semaine aux alentours du 14e jour de votre cycle, vous connaîtrez le jour de votre ovulation, à 24 heures près.

rapport sexuel). Ainsi, la période de fertilité commence deux ou trois jours avant l'ovulation et dure un jour après.

## ❹ QUE PEUT FAIRE LA MÉDECINE POUR VOUS AIDER ?

Si au bout de quelques mois vous n'êtes toujours pas enceinte, ne concluez pas trop vite à l'impossibilité d'avoir un enfant, c'est-à-dire à la **stérilité**. Sachez que la fertilité moyenne d'un couple par cycle est inférieure à 20 %, et qu'on ne parle de stérilité qu'au bout de deux ans de rapports sexuels réguliers non protégés. Il faut alors prendre l'avis de votre médecin qui vous indiquera la marche à suivre. Les examens qui vous seront proposés concerneront aussi bien l'homme que la femme, car l'un comme l'autre peuvent être en cause dans les échecs de reproduction.

Tout d'abord, le médecin s'assurera que vous avez bien des rapports sexuels à la bonne période. Ensuite, il vérifiera que l'ovulation se fait normalement (par une simple courbe de température) et pourra pratiquer un test de Hühner* pour apprécier la qualité de votre glaire* et celle des spermatozoïdes de votre conjoint.

S'il existe des troubles de l'ovulation, une stimulation de l'ovulation pourra vous être proposée, accompagnée ou non d'une insémination intra-utérine (IAC*) si la glaire est de mauvaise qualité. Si le test de Hühner* montre un nombre insuffisant de spermatozoïdes, un spermogramme sera réalisé, ainsi qu'un examen bactériologique du sperme, et un traitement adapté sera proposé. Depuis quelques années, les techniques de traitement du sperme ont évolué et les cas d'insémination avec le sperme d'un donneur (IAD*) ont beaucoup diminué.

Si l'ovulation et le spermogramme sont normaux, on s'orientera plutôt vers une anomalie des trompes ou de l'utérus (séquelles d'infection, cicatrices de grossesses extra-utérines ou malformations). On vous prescrira alors une radio des trompes (hystérosalpingographie), ou bien une intervention chirurgicale (cœlioscopie) pour visualiser et éventuellement déboucher les trompes.

Enfin, la **fécondation *in vitro***\* (qui consiste à ponctionner les ovocytes* chez la femme pour réaliser dans un tube la fécondation avec le sperme du conjoint et réimplanter l'**embryon** dans l'utérus après quelques heures ou quelques jours de développement) peut être proposée en cas d'anomalies sévères ou pour des stérilités restées inexpliquées après plusieurs échecs de stimulation avec insémination.

# ❺ Vous êtes enceinte!

**Le résultat du test de grossesse est positif :** vous êtes enceinte. Prenez rendez-vous avec votre médecin traitant ou votre gynécologue pour un **premier examen gynécologique** et la réalisation des **examens de laboratoire** nécessaires pour la **déclaration de grossesse** (voir page 56).

« Je suis en-cein-te », certaines d'entre vous devront se le répéter quinze fois intérieurement avant d'y croire vraiment, d'autres se diront « alors, ce n'est que ça, pourtant je ne sens rien de particulier », d'autres enfin se sentiront pousser des ailes. Face à cet événement, des sensations et des pensées contradictoires vont vous envahir… Rappelez-vous alors que la grossesse est un événement, certes, mais un événement normal dans la vie d'une femme. Des centaines de milliers de femmes accouchent chaque année. Ayez confiance en vous, en votre enfant à venir, tout doit bien se passer. Vous vous posez mille questions concernant votre enfant, votre vie de couple, votre vie quotidienne. La première sera sans doute : « Dois-je le dire ou non ? » En effet, certaines femmes choisissent de garder le secret pendant quelque temps, par pudeur, par crainte des réactions de leur entourage ou pour être sûre d'être vraiment enceintes.

D'autres n'en parlent qu'à leur conjoint. Beaucoup choisissent de le dire afin de parler des mille et une choses qui les préoccupent. Vous devez désormais prendre un certain nombre de **précautions** :

- évitez de prendre des médicaments sans en avoir parlé à votre médecin ;
- **arrêtez de fumer,** si vous le pouvez, ou diminuez le nombre de vos cigarettes ; ne buvez pas d'alcool ;
- si vous devez subir un examen quelconque (une radio ou un scanner), prévenez votre médecin.

## ⑥ ET LE PAPA DANS TOUT ÇA ?

Pour vivre ces neuf mois d'exception, vous ne serez pas seule. Votre enfant lui-même vous aidera en manifestant de plus en plus sa présence au cours des semaines. Surtout, votre conjoint attend un enfant, lui aussi, à sa façon : vous vous aiderez donc mutuellement tout au long de ce parcours.

Vous serez attentive, de votre côté, à lui raconter, lui faire sentir l'évolution de l'enfant au cours de ces neuf mois. S'il peut, et s'il le souhaite, vous accompagner à certains rendez-vous (médecin, échographie, préparation à l'accouchement…), n'hésitez pas à le lui demander.

Respectez aussi ses silences et sa façon de voir les choses. Il est sûrement inquiet pour vous, pour l'enfant et pour lui. Rassurez votre conjoint sur sa place et sur son rôle. Non, l'enfant à venir ne le remplacera pas dans votre cœur et dans votre vie. Oui, il saura faire face et devenir un père. Sachez ne pas être trop dans votre « bulle ». Continuez à partager le maximum de choses au quotidien avec lui (travail, sorties). De son côté, il vous rassurera sur votre corps, votre beauté, son désir pour vous.

........................................................................................

💡 *Le terme de **couvade** désigne l'attitude de certains pères qui « couvent » eux aussi et ressentent certains symptômes ou malaises pendant la grossesse de leur femme. Ils prennent du poids, ont des nausées, se sentent bizarres à leur manière…*

........................................................................................

Si elle est près de vous, et si vous le souhaitez, votre mère vous accompagnera tout au long de votre grossesse. Vous pourrez lui demander des conseils, lui confier vos soucis, lui poser les questions que vous n'osez poser à personne. Parfois, l'attente d'un enfant rapproche les filles de leur mère et de leur belle-mère, et crée une nouvelle complicité entre elles. Parfois, au contraire, cela peut réveiller de vieilles querelles. Attention, en tout cas, à préserver l'intimité de votre couple.

**Si vous êtes seule, momentanément ou non, n'hésitez pas à solliciter votre entourage.** Une grossesse permet toujours de créer de nouveaux liens et de nouvelles solidarités autour de vous, profitez-en. Par ailleurs, vous pouvez, dès le début de votre grossesse, faire appel aux services d'aide à la jeune mère de famille de votre mairie et à ceux de votre maternité.

### ❼ QUAND MON ENFANT VA-T-IL NAÎTRE ?

La première chose que vous allez faire, lorsque vous saurez que vous attendez un enfant, c'est de calculer sa date de naissance probable. Pour ce faire, une méthode assez simple consiste à **ajouter neuf mois plus 14 jours à la date du début** de vos dernières règles. Cette méthode vaut, bien sûr, pour les femmes qui ont des cycles réguliers de 28 jours. Si ce n'est pas le cas, vous vous contenterez d'une date approximative et vous attendrez votre première échographie pour avoir une prévision plus précise. Certains événements peuvent survenir et avancer la date de votre accouchement **(on parle de prématurité avant 37 semaines d'aménorrhée\*)**. Inversement, la durée de grossesse peut dépasser neuf mois, mais dans la plupart des maternités, l'accouchement est provoqué au plus tard à 42 semaines d'aménorrhée.

............................................................................

💡 *Les médecins calculent en* **semaines d'aménorrhée\*** **(ou absence de règles)** *: votre grossesse durera en moyenne 40 semaines d'aménorrhée (voir aussi les tableaux pages 92 à 97). Le terme le plus probable de l'accouchement sera neuf mois moins une semaine après la fécondation.*

............................................................................

## ❽ FILLE OU GARÇON ?

La deuxième question qui vient à l'esprit concerne le sexe de l'enfant. Fille ou garçon, est-ce prévisible ?

L'être humain porte dans ses cellules 46 chromosomes regroupés en paires. 22 paires (numérotées de 1 à 22) sont identiques chez l'homme et la femme. La 23e paire est la paire de chromosomes sexuels. L'homme a deux chromosomes sexuels différents, appelés X et Y. La femme a deux chromosomes sexuels identiques, XX. Pour que naisse un petit garçon, il faut que le spermatozoïde qui féconde l'ovule soit porteur d'un chromosome Y. Si c'est un X, ce sera une fille.

Depuis l'Antiquité, de nombreux récits attestent de la volonté d'influer sur le sexe des enfants à naître. Aujourd'hui, on s'intéresse aux spécificités des spermatozoïdes* porteurs du chromosome Y (qui donnent des garçons) par rapport aux spermatozoïdes porteurs du chromosome X (qui donnent des filles) : en effet, les Y sont plus rapides que les X, on en conclut donc que si le rapport sexuel a lieu **au plus près de l'ovulation,** cela augmente les chances d'avoir un garçon. Inversement, si le rapport a lieu deux ou trois jours avant, les X moins rapides, mais plus résistants, seraient responsables de la fécondation, et on aurait plus de chances d'avoir une fille.

D'autres méthodes mettent en avant le degré d'**acidité vaginale** de la femme : si l'acidité est forte, cela favorise la naissance d'un garçon, si elle est faible, celle d'une fille. Certains médecins proposent des régimes découlant de ce constat. Une dernière méthode consiste à évaluer l'**intensité et la fréquence des rapports sexuels,** un rapport unique aboutissant à un orgasme féminin très près de l'ovulation favorisant la conception d'un garçon, des rapports fréquents avant l'ovulation et une absence d'orgasme féminin favorisant celle d'une fille. Toutes ces méthodes sont bien contraignantes et, en fait, peu fiables. Si vous voulez en savoir plus, parlez-en avec votre médecin. Aujourd'hui, les progrès de la génétique peuvent permettre dans certains cas de sélectionner les spermatozoïdes, ces manipulations complexes étant réservées à des cas particuliers (maladies héréditaires, par exemple). Des comités d'éthique sont mis en place un peu partout dans le monde pour contrôler les abus éventuels.

## ❾ GROSSESSES NORMALES, GROSSESSES À RISQUES

Ce petit livre est consacré, pour l'essentiel, aux grossesses dites « normales ». Cela concerne la plupart des femmes. Il existe cependant un certain type de grossesses dites **particulières** ou **à risques** (voir pages 44 à 47), parce qu'elles nécessitent une surveillance particulière, voire des soins spéciaux. C'est le cas, de plus en plus fréquent, des femmes de plus de 40 ans ou encore des adolescentes ; c'est aussi celui des grossesses multiples* (dont les grossesses gémellaires*), qu'elles surviennent ou non après un traitement contre la stérilité. C'est enfin le cas de femmes ayant une pathologie préexistant à la grossesse (diabète, cardiopathie, malformation utérine comme les «femmes du Distilbène* »). Ajoutons que la survenue d'une complication lors d'une grossesse antérieure (accouchement prématuré, diabète, hypertension…) doit faire intensifier la surveillance pour éviter ou traiter précocement la récidive de la pathologie.

Au cours de votre premier examen gynécologique, votre médecin examinera avec vous les risques et les moyens de les prévenir au mieux.

## ⑩ LA NAISSANCE D'UNE MÈRE

On ne naît pas mère, on le devient, disent certains. Par ailleurs, toutes les mères ne se ressemblent pas. Ce qui est sûr, c'est que le déroulement de la grossesse contribue fortement à la prise de conscience de cet état nouveau de la maternité. La **première échographie**, les **premiers mouvements** que l'on sent à l'intérieur de son propre corps, comme des vagues ou des petites secousses, les caresses que l'on prodigue à son enfant, tout cela contribue à changer votre perception de l'existence, petit à petit. Quant à savoir quel type de mère vous serez, sachez que rien n'est véritablement donné à l'avance. Bien sûr, il y a votre histoire et celle de votre conjoint, il y a la façon dont vous avez vécu vos relations avec votre propre mère.

Il est possible que vous cherchiez à vous identifier à elle ou, au contraire, que vous tentiez de vous éloigner du modèle qu'elle vous a offert. Tout cela est souvent affaire de personne, de génération et même de destinée. Quoi qu'il en soit, votre relation avec votre enfant à naître vous appartient. C'est un échange permanent.

## ⑪ Faire connaissance avec votre enfant

Votre **enfant,** vous l'avez rêvé sans doute, bien avant de savoir que vous alliez être enceinte. La grossesse est la première occasion de faire connaissance avec votre **enfant réel.**

Avant, bien avant la naissance, votre enfant vit en vous. Il éprouve un grand nombre de sensations qu'il vous fait connaître de différentes façons. À vous de les décrypter. Dans un ouvrage désormais célèbre, *L'Aube des sens*, les auteurs ont montré, exemples à l'appui, que le fœtus a très tôt des capacités sensorielles développées : il entend la voix de sa mère et perçoit de nombreux autres bruits, il a des capacités gustatives étonnantes, il perçoit les caresses et réagit à la lumière. Vous apprendrez bien vite à dialoguer avec lui et cette relation primordiale restera très forte.

# LES TROIS PREMIERS MOIS

•

Les premières semaines de la grossesse sont souvent placées sous le signe de l'ambiguïté : à la joie se mêle en effet de l'inquiétude (Vais-je garder mon enfant ? Vais-je être malade ?). Une des meilleures façons de conjurer ces craintes consiste à s'informer précisément sur le processus de la grossesse et sur l'évolution de l'embryon et du fœtus.

## ⓬ COMMENT SE DÉVELOPPENT L'EMBRYON ET LE FŒTUS ?

Au cours des tout premiers jours de grossesse, les cellules se multiplient puis s'organisent pour former l'embryon* et des annexes qui vont constituer petit à petit le placenta* et le cordon ombilical.

- Vers le septième jour, le futur embryon fait son nid (c'est **la nidation**) dans la muqueuse utérine.
- Ainsi niché, il va pouvoir se développer rapidement à l'intérieur d'une cavité contenant un liquide qui lui permet de bouger, le **liquide amniotique***.
- Vers le 18e jour, l'embryon mesure 1 mm.
- **Au bout de trois semaines**, le tube cardiaque apparaît et le **cœur commence à battre**.

- À la fin du premier mois, l'embryon ressemble à une virgule de 5 mm.
- Au cours du deuxième mois, tous les organes et les membres se développent : l'intestin, l'estomac, le foie. La tête grossit, les yeux et les lèvres paraissent encore très épais. Le squelette s'ossifie et les muscles se développent. Le corps se modèle peu à peu.
- À la fin du deuxième mois, l'embryon mesure 3 cm et pèse 11 g. Tous les organes vitaux existent. Reste à les parachever.
- **À partir du troisième mois, on ne parle plus d'embryon, mais de fœtus.** C'est alors que s'opère la différenciation sexuelle et que l'appareil génital se forme. L'ossification se poursuit, les membres s'allongent, les premiers mouvements apparaissent (à l'échographie, on le voit bouger, il semble faire du trampoline). Les cordes vocales se forment (mais elles ne produisent pas encore de sons).

**À la fin du premier trimestre de grossesse, le fœtus mesure 10 cm et pèse 45 g.**

..................................................................

💡 *Connaître le sexe de son enfant est alors possible grâce à l'échographie. Le médecin qui vous fait l'examen vous le proposera. Sur ce sujet, les femmes et les couples sont partagés. Les uns veulent préserver le mystère jusqu'au bout. Les autres, plus curieux, auront à cœur de savoir pour mieux s'adresser à leur enfant et préparer son arrivée.*

........................................................................

##  VOTRE CORPS SE TRANSFORME

Au cours des trois premiers mois, votre corps se transforme en profondeur et, pourtant, rien ou presque ne se voit encore.

L'utérus, qui pèse 50 g en temps normal, grossit assez peu pendant cette période. Il a la forme d'une orange. Les **seins gonflent** dès le début de la grossesse. Petit à petit, les glandes mammaires se multiplient. Des sécrétions vaginales peuvent apparaître. Votre cœur bat plus vite. Des **nausées** ou des **aigreurs d'estomac,** ainsi que des troubles du sommeil et une sensation de fatigue permanente peuvent survenir, mais ce n'est pas une règle générale.

Cette fatigue ne doit pas vous inquiéter ni vous conduire à vous «bourrer» de vitamines, elle est liée à la progestérone, l'hormone de la grossesse et disparaîtra vers la fin du troisième mois. Vous pouvez également ressentir des douleurs sur les bords de l'utérus ou vers la racine des cuisses, surtout quand vous changez brusquement de positon. Elles correspondent à la mise en tension des ligaments de l'utérus et sont sans danger pour la grossesse.

........................................................................

💡 *Attention, ce n'est pas parce que vous ne ressentez rien ou presque qu'il ne se passe rien. Les trois premiers mois sont essentiels dans le développement du fœtus. C'est la raison pour laquelle vous devez arrêter le tabac et l'alcool, et respecter une bonne hygiène de vie (voir pages 78 à 84).*

........................................................................

**14** Quels sont les risques du début ?

Parmi les craintes qui vous habitent durant cette période, il y a celle de faire une **fausse couche, c'est-à-dire une interruption spontanée de la grossesse.** En effet, c'est pendant le premier trimestre que les risques sont les plus grands. En général, la fausse couche est due à un œuf de mauvaise qualité, qui n'est pas viable et qui est expulsé spontanément. Parfois, on découvre qu'il s'agissait d'un **œuf clair,** c'est-à-dire un œuf sans embryon.

Les manifestations principales de la fausse couche sont des saignements plus ou moins abondants accompagnés ou non de douleurs dans le bas-ventre. Devant ces symptômes, il faut rapidement consulter votre médecin, même si une intervention n'est pas toujours nécessaire. Psychologiquement, une fausse couche est une forme de deuil qui n'est pas si facile à vivre. Essayez de chasser tout sentiment de culpabilité : vous n'êtes pas responsable. C'est un accident.

Lorsque certaines femmes font des fausses couches à répétition (à partir de trois fausses couches), le médecin propose alors des examens plus approfondis afin d'en déterminer la cause (anomalies chromosomiques, malformations de l'utérus, anomalies de développement du placenta). Lorsque les accidents se répètent, il ne faut pas l'accepter comme une fatalité, mais consulter des médecins spécialisés. En effet, il arrive que votre médecin ou votre entourage paraissent démunis pour vous aider. Sachez qu'aujourd'hui, dans un cas sur deux, on parvient à identifier une cause et à trouver un traitement adéquat. Dans tous les cas, le repos au lit en début de grossesse est totalement inefficace pour éviter les fausses couches. Vous pouvez donc mener une activité normale pendant le premier trimestre de la grossesse. (Souvenez-vous qu'il y a moins de cent ans, les femmes ne découvraient leur grossesse qu'au bout de un à deux mois, parfois même plus, et qu'elles poursuivaient leurs tâches quotidiennes, souvent bien plus physiques qu'aujourd'hui.) Tout saignement survenant en début de grossesse ne correspond pas forcément à une fausse couche. Parfois, ce n'est qu'un épisode passager ou anodin à la suite duquel la grossesse évoluera tout à fait normalement. Cependant, un épisode de saignement en début de grossesse[1] doit vous conduire à consulter en urgence, car il peut s'agir d'une **grossesse extra-utérine**.

......................................................................................

💡 *Les fausses couches sont fréquentes au premier trimestre : elles concernent 20 % des grossesses. Rassurez-vous, avoir fait une fausse couche n'augmente pas le risque d'en faire une autre.*

......................................................................................

......................................................................................

1   Voir l'ouvrage *Fausses couches et mort fœtale*, de V. Lejeune et B. Carbonne, Masson, 2006.

## Grossesse extra-utérine

Comme son nom l'indique, il s'agit d'une grossesse qui se développe en dehors de l'utérus, le plus souvent dans une des trompes* où l'œuf s'est arrêté. L'œuf commence à se développer, mais la trompe ne pouvant pas se dilater, elle se fissure ou se rompt, causant une hémorragie interne. Il faut alors pratiquer une intervention chirurgicale le plus souvent par **cœlioscopie***. Si la grossesse extra-utérine est diagnostiquée très tôt, il est parfois possible d'éviter l'opération et de donner un traitement médical qui arrête son développement. Si vous souffrez du bas-ventre (parfois, vous ressentez un véritable coup de poignard) et si vous avez des saignements au début de votre grossesse, consultez vite votre médecin. Plus le diagnostic de grossesse extra-utérine est précoce, plus les chances de conserver la trompe sont grandes. Cependant, quelquefois, le diagnostic n'est pas facile en début de grossesse et l'on vous met en observation (parfois à l'hôpital) durant quelques jours afin de déterminer s'il s'agit d'une fausse couche ou d'une grossesse extra-utérine.

Il est possible d'avoir d'autres grossesses après une grossesse extra-utérine, cependant, pour s'assurer que cette fois la grossesse est bien dans l'utérus, ne manquez pas de prévenir votre médecin dès que vous êtes à nouveau enceinte.

## ⑮ LES EXAMENS RECOMMANDÉS ET FACULTATIFS

La grossesse nécessite une surveillance et un suivi médical qui peut être assuré par un médecin ou une sage-femme. En général, les examens de fin de grossesse ont lieu dans l'établissement où vous accoucherez, mais les premières visites peuvent aussi être réalisées par votre médecin généraliste, votre gynécologue, ou une sage-femme libérale. Vous devrez donc vous soumettre à sept examens recommandés sur le plan médical et nécessaires pour percevoir les allocations familiales, si vous y avez droit. Le **premier examen** doit avoir lieu avant la fin du premier trimestre. À la fin de l'examen, le praticien vous remettra les feuillets de déclaration de grossesse. Les autres consultations auront lieu tous les mois (et parfois plus si le praticien le juge nécessaire) à partir du quatrième mois.

**Le premier examen** revêt une importance toute particulière ; outre le fait de **fixer la date présumée de début de grossesse,** il a pour but de faire avec vous un point précis, personnel et médical, afin de déterminer les facteurs de risques éventuels et de vous aider à mener votre grossesse au mieux et à terme. Vous aurez d'abord un entretien avec le praticien, puis il vous fera un examen général et gynécologique, et vous prescrira un certain nombre d'examens de laboratoire.

........................................................

💡 *Attention, ne confondez pas le mois de grossesse et le numéro de l'examen. Le deuxième examen a lieu au cours du quatrième mois de grossesse, le troisième au cours du cinquième mois… et ainsi de suite jusqu'au septième examen.*

........................................................

**L'entretien** est approfondi et peut durer jusqu'à une demi-heure. Il s'agit de faire le tour avec vous (et, le cas échéant, avec votre conjoint) de votre histoire et de votre passé médical.

Le praticien vous interrogera sur :

- Vous et votre conjoint (âge, état de santé général, vie quotidienne – travail, transports –, problèmes financiers éventuels…).
- **Vos antécédents personnels et familiaux :** avez-vous eu ou y a-t-il eu dans votre famille des cas de maladies héréditaires, de problèmes cardiaques, de diabète, de tuberculose, de troubles neurologiques… ? Avez-vous eu des opérations ? Avez-vous des allergies ?
- **Votre profil gynécologique :** avez-vous des règles régulières, de quand datent vos dernières règles ?

Quelle(s) méthode(s) de contraception utilisez-vous ? Avez-vous eu des infections vaginales, votre conjoint ou vous-même êtes-vous sujets à l'herpès ? Avant votre grossesse, étiez-vous suivie sur le plan gynécologique : de quand datent votre dernière consultation et votre dernier frottis ? Avez-vous déjà été enceinte ? Si oui, comment cela s'est-il passé ? Avez-vous fait une IVG* ? Avez-vous fait une fausse couche ?…

..............................................................................................

💡 *N'hésitez pas à tout signaler et à poser des questions : certaines femmes répugnent à se raconter, surtout sur le plan gynécologique, qui touche de si près à l'intimité des êtres. L'objet de cet entretien n'est pas de vous juger, mais bien de vous aider. Seule une connaissance complète de votre dossier pourra permettre un bon suivi de votre grossesse.*

..............................................................................................

Si vos grossesses précédentes se sont mal terminées, votre praticien pourra vous proposer un traitement pour éviter un nouvel accident. Par exemple, un cerclage du col (fermeture du col par une bandelette) si vous avez fait une fausse couche tardive, ou un traitement par aspirine ou anticoagulants si vous avez eu un bébé beaucoup trop petit ou un décollement du placenta.

**L'examen médical** proprement dit portera d'abord sur votre **état général,** puis sur **votre grossesse.** Le praticien vous pèsera, prendra votre tension artérielle, vous auscultera pour dépister toute anomalie cardiaque ou pulmonaire éventuelle. Ensuite, il vous examinera les seins et pratiquera une palpation du ventre et un toucher vaginal (pour vérifier **le volume de l'utérus, ainsi que l'état de son col**\*).

À la fin de l'examen, le praticien vous donnera des conseils pour votre santé ; le cas échéant, il vous prescrira des vitamines et vous demandera d'effectuer un certain nombre d'**analyses de laboratoire obligatoires :**

- L'examen des urines est destiné à détecter la présence d'albumine (**albuminurie**) et à dépister une éventuelle infection urinaire ainsi que la présence de sucre (**glycosurie**).
- L'examen de **sang** a pour but de vérifier votre immunisation contre certaines maladies dangereuses durant votre grossesse : rubéole\*, toxoplasmose\*. Si la sérologie de la toxoplasmose est négative, le test sera répété chaque mois. L'examen de sang permet aussi de dépister une éventuelle syphilis, de connaître

votre **groupe sanguin\*** (**une carte vous sera remise après deux déterminations successives**).

On vous proposera également de réaliser un dépistage du sida et dans certains cas de l'hépatite B et de l'hépatite C.

## Échographies, mode d'emploi

Ces analyses sont complétées par une **échographie**, examen qui revêt une importance toute particulière, parce que les futurs parents ont désormais la possibilité de « voir » leur futur enfant. L'**échographie** permet en effet de visualiser le fœtus\* et le placenta\* à l'aide d'ultrasons qui ne représentent **aucun danger,** ni pour la mère, ni pour l'enfant. Et l'effet est presque magique, c'est une première rencontre et elle est d'autant plus bouleversante que l'on voit le fœtus en entier, au moins lors de la première échographie. Cependant, il ne faut pas demander à cet examen plus qu'il ne peut donner. Vous ne verrez pas de ressemblances, ni à la première échographie, ni aux suivantes, et vous ne saurez pas tout sur votre futur bébé après un examen échographique.

Concrètement, l'échographie du premier trimestre se passe très simplement et est **indolore :** vous êtes allongée en position gynécologique, vessie vide, et l'échographiste place une sonde très fine par le vagin, au contact de l'utérus. Évitez donc de venir accompagnée par quelqu'un d'autre que votre conjoint pour cette première échographie, assez intime, au cours de laquelle le praticien saura préserver votre pudeur.

Pendant l'examen, vous voyez les images défiler sur l'écran. Évitez d'interpréter les paroles de l'échographiste et de faire marcher votre imagination : posez-lui plutôt des questions pour mieux comprendre ce que vous voyez. Surtout, ayez toujours à l'esprit qu'il s'agit d'un acte médical.

**La première échographie** sert à confirmer le terme de la grossesse, à dépister les grossesses gémellaires et surtout à rechercher d'éventuelles anomalies chez votre fœtus. À la fin de l'examen, on vous remettra des clichés faisant état des différentes mesures qui ont été prises[2] : la **longueur de l'embryon,** le diamètre de la tête (**diamètre bipariétal**) et la **longueur du fémur,** ce qui permet de dater le début de la grossesse à plus ou moins cinq jours ; la vitesse des battements cardiaques

---

2  Certains centres d'échographie proposent un enregistrement vidéo de l'échographie. Si cela vous intéresse, renseignez-vous pour savoir si c'est possible.

et l'**épaisseur de la nuque,** qui permet le dépistage d'anomalies chromosomiques.

Cette échographie doit impérativement être faite entre 11 et 13 semaines d'aménorrhée (sur un embryon mesurant entre 45 et 80 mm de longueur cranio-caudale, de la tête aux fesses). Si lors de la première écho le fœtus est plus

## À quoi sert une échographie ?

Tout au long de la grossesse, la visualisation par ultra-sons du **fœtus** permet **d'observer sa croissance,** de dépister des **malformations éventuelles,** de mesurer la quantité de liquide amniotique\* dans la poche des eaux ou encore de **repérer la position du placenta\*.** De plus, l'utilisation du Doppler (instrument qui mesure la vitesse circulatoire dans les vaisseaux) permet de dépister des signes de mauvaise oxygénation du fœtus. Normalement, trois échographies sont pratiquées pendant la grossesse : 11 à 13 semaines d'aménorrhée, 20 à 22 semaines et 32 semaines. Cependant, certaines grossesses particu-lières ou à risques exigent un nombre d'examens plus important (diabète, grossesse multiple…).

La Sécurité sociale rembourse trois échographies. Si vous dépassez ce nombre, il faudra un accord préalable pour vous faire rembourser, ce qui est toujours accordé lorsque les échographies sont médicalement justifiées.

jeune que prévu, parce que vous avez ovulé plus tard, il faut la répéter à la bonne période. Cette première échographie peut aussi permettre de dépister un kyste ou un fibrome* utérin. Si l'échographie dépiste quelque chose d'anormal, on vous proposera le plus souvent un deuxième examen de contrôle quelques jours plus tard avant de programmer, le cas échéant, d'autres examens.

## Diagnostic anténatal : une amniocentèse pour qui ?

Le diagnostic anténatal et la médecine fœtale ont fait d'énormes progrès ces 30 dernières années, mais créent également de nouvelles sources d'inquiétude pour les parents. Il est important de recueillir une information précise (attention aux recherches sur Internet dont tous les documents ne sont pas médicalement contrôlés). N'hésitez pas à interroger votre praticien qui vous orientera éventuellement vers un spécialiste.

**Une consultation génétique** peut être proposée en cas d'antécédent, dans la famille (ou chez un enfant précédent) d'une maladie génétique ou en cas de mariage consanguin. Le généticien établit votre arbre généalogique et si besoin le **caryotype des sujets atteints d'anomalie,** c'est-à-dire leur carte d'identité génétique, à partir d'un prélèvement de quelques gouttes de sang. Les 46 chromosomes sont classés, numérotés et étudiés pour déterminer un éventuel risque de transmission d'une maladie héréditaire. Dans ce cas, s'il s'agit d'une maladie grave, on pourra vous proposer de rechercher cette anomalie chez votre fœtus dans le but d'interrompre la grossesse s'il en est atteint.

.........................................................................

*Attention, en aucun cas la consultation génétique ne peut vous donner de certitudes. On vous informera sur les risques que vous prenez, sur les probabilités que votre fœtus contracte telle maladie ou souffre d'une anomalie génique plus ou moins grave. La décision d'aller plus loin dans le dépistage et, le cas échéant, celle d'interrompre la grossesse vous appartient. Il est souhaitable de disposer d'un temps de réflexion avant de vous décider.*

.........................................................................

**Mon enfant à naître sera-t-il normal?** Cette question, que les parents se posent, recouvre en fait différentes inquiétudes, qui toutes n'ont pas le même caractère de gravité et ne comportent pas les mêmes dangers : celle d'avoir un enfant qui souffre d'une malformation (un bras en moins, les pieds palmés, un bec de lièvre…) ou encore d'une maladie grave ou incurable (mucoviscidose\*, myopathie\*…). Surtout, l'inquiétude se porte sur le risque de mongolisme (ou **trisomie 21**) dont les stratégies de dépistage ont beaucoup évolué ces dernières années (voir plus loin).

Les prélèvements destinés à rechercher une anomalie chez le fœtus sont de trois types, et présentent tous un risque de fausse couche, quelles que soient les précautions prises. Ils ne sont donc réalisés que s'il existe un risque élevé de trouver une anomalie.

- **L'amniocentèse**\* est la méthode la plus fréquemment utilisée. Elle consiste à prélever, à l'aide d'une longue aiguille fine, une petite quantité de liquide amniotique (10 à 20 ml) pour étudier le **caryotype fœtal** et effectuer des dosages biologiques afin de débusquer d'éventuelles maladies génétiques (trisomie 21, hémophilie, mucoviscidose, myopathie)… ou des infections du fœtus. Le cas échéant, on effectue une recherche plus poussée à partir de dosages complexes. Au cours d'un entretien préalable, le praticien ou le laboratoire vous informeront de ces différentes procédures. L'examen a lieu, à partir de la quinzième semaine d'aménorrhée, sous échographie, ce qui permet au praticien d'être très précis dans ses gestes et de ponctionner le liquide à distance suffisante du fœtus. Vous ressentirez sûrement de l'appréhension, notamment en voyant la longueur de l'aiguille, mais sachez que, dans cette région du corps, entre le nombril et le pubis, c'est pratiquement indolore et très rapide. De plus, les praticiens qui font le prélèvement savent trouver les mots et les gestes qui vous détendent. Quant au risque pour le fœtus (risque de fausse couche), il existe certes, mais il est faible (moins de 0,5 %). On rentre chez soi après l'examen, un repos de 24 à 48 heures est conseillé. Les résultats sont obtenus au bout de trois semaines. Cette attente est parfois longue et difficile, mais il faut savoir que l'étude des cellules fœtales prélevées est complexe.

L'amniocentèse permet de déterminer de façon sûre le sexe de votre enfant.

Vous êtes parfaitement en droit de refuser l'amniocentèse ; si vous l'acceptez, en cas de résultat défavorable pour l'enfant, vous pouvez choisir d'interrompre votre grossesse ou non. En France, l'acte d'interruption médicale de grossesse est légalement possible jusqu'à la fin de la grossesse. C'est une affaire de conscience et d'éthique personnelles. Nous vous recommandons tout de même de prendre le temps de la réflexion. N'hésitez pas à en parler à votre praticien qui vous expliquera les résultats de l'examen et vous donnera les informations nécessaires à votre prise de décision.

- **La biopsie du trophoblaste\***, ou prélèvement de villosités choriales (PVC), est proposée lorsque le risque est élevé et connu dès le début de la grossesse (maladie génétique transmissible, clarté nucale augmentée à l'échographie du premier trimestre). C'est un examen de plus en plus pratiqué qui permet d'obtenir dès le milieu du troisième mois et en 48 heures un diagnostic d'anomalie chromosomique ou génétique. Techniquement, c'est comme une amniocentèse (c'est-à-dire une ponction à l'aiguille sous contrôle échographique), mais au lieu de prélever du liquide amniotique, on aspire quelques fragments du placenta. Le risque de fausse couche est à peine plus élevé que pour l'amniocentèse et le résultat, beaucoup plus rapide.

- **La ponction de sang fœtal** est réservée aux diagnostics tardifs de fin de grossesse. Elle consiste à prélever sous échographie du sang dans le cordon ombilical pour un caryotype, une recherche d'infection ou en cas de suspicion d'anémie. Son risque de provoquer l'accouchement est estimé entre 1 et 3 %.

## Cas particulier du dépistage anténatal de la trisomie 21

La trisomie 21 est due à une anomalie du nombre de chromosomes. Les sujets qui en sont atteints ont 47 chromosomes, dont trois numérotés 21 au lieu de deux. Cela se traduit par des anomalies morphologiques (nez court et épaté, petite taille, malformations cardiaques…), un retard mental et un vieillissement prématuré. Aujourd'hui, dans notre pays, un **dépistage systématique** est proposé aux femmes enceintes pour limiter la naissance d'enfants handicapés.

La stratégie de dépistage consiste à repérer des femmes « à risques » chez lesquelles sera proposé un prélèvement pour établir le caryotype fœtal (amniocentèse ou biopsie de trophoblaste), seul moyen d'obtenir un diagnostic de certitude. Toutefois, ces prélèvements représentent un risque de fausse couche qui doit être expliqué aux parents, et ne doivent pas être réalisés si ceux-ci souhaitent poursuivre la grossesse quel que soit le caryotype de leur enfant.

Jusqu'en 2009, en France, les femmes à risques étaient repérées sur trois critères :

- l'âge de la mère, car la fréquence de la trisomie 21 croît avec lui (1/1 000 à 30 ans, 1/250 à 38 ans et 1/50 à 43 ans) ;

- la mesure de la clarté nucale rapportée à la longueur de l'embryon, mesurées lors de l'échographie entre 12 et 13 semaines d'aménorrhée;
- le résultat des marqueurs sériques (dosage hormonal réalisé au quatrième mois de grossesse, entre 14 et 18 semaines d'aménorrhée).

Cette stratégie conduisait à un très grand nombre d'amniocentèses (plus de 15 % des grossesses), car cet examen était proposé à toutes les femmes de 38 ans au moins, ainsi qu'à celles ayant une clarté nucale augmentée, plus à celles ayant un résultat des marqueurs «à risques». Dans l'immense majorité des cas, le résultat était normal et cette politique angoissait un très grand nombre de couples, avec un risque de fausses couches non négligeable. Il a donc été décidé en 2009 de nous aligner sur nos voisins européens, et de réaliser une seule évaluation du risque de trisomie 21 (*one day test*) en même temps que le dosage hormonal et l'échographie du premier trimestre. Le praticien calcule ainsi à la fin du troisième mois le risque global de trisomie 21 et propose un prélèvement pour caryotype (biopsie du trophoblaste ou amniocentèse) si celui-ci est élevé.

## Quelques cas particuliers

Lorsque votre praticien vous recevra pour la première fois en début de grossesse, il vous posera des questions sur vos antécédents médicaux. Il est très important de l'informer le plus précisément possible, car cela l'aidera à personnaliser le suivi de votre grossesse.

Si vous prenez des médicaments, quels qu'ils soient, avertissez votre médecin dès le test de grossesse positif. Attention, n'arrêtez jamais de vous-même un traitement que vous prenez depuis longtemps, car cela pourrait être dangereux pour votre grossesse.

**Si vous êtes diabétique,** et que vous appliquez un régime alimentaire et un traitement par insuline depuis plusieurs années, il est très important de parler de votre désir de grossesse à votre praticien avant d'arrêter votre contraception. Il renforcera alors la surveillance du taux de sucre dans le sang, et parfois augmentera le nombre d'injections d'insuline, pour que ce taux soit le plus constant possible. Cela permet d'éviter le risque de malformations chez votre enfant. Tout au long de la grossesse, cet effort devra être maintenu, car l'excès de sucre dans le sang de la mère perturbe la croissance du fœtus avec un risque de macrosomie, c'est-à-dire d'excès de poids à la naissance. Lorsqu'elle est importante, la macrosomie peut rendre très difficile et dangereux l'accouchement, et le praticien choisira parfois une césarienne* systématique. La surveillance du bien-être de ➡

l'enfant, par l'enregistrement de son rythme cardiaque, se fera régulièrement en fin de grossesse. Mais sachez que si le diabète est bien équilibré pendant toute la grossesse, le risque de retentissement sur l'enfant est minime.

**Si vous avez fait une grossesse extra-utérine** précédemment, il est recommandé de réaliser systématiquement une échographie dès que vous aurez deux semaines de retard de règles, afin de s'assurer que l'œuf se développe bien dans l'utérus. Si vos règles ne sont pas comme d'habitude : moins abondantes, plus foncées, plus longues, faites systématiquement un test de grossesse. Enfin, s'il est positif, consultez en urgence, même si vous n'avez pas encore deux semaines de retard de règles en cas de douleur ou de saignement anormaux.

**Si vous avez accouché prématurément** à la grossesse précédente, votre praticien vous conseillera probablement un repos précoce, avant la date du congé de maternité. Évitez d'accumuler les déplacements professionnels et essayez d'organiser une aide domestique soit familiale, soit par une aide ménagère (renseignez-vous à la mairie).

**Si vous êtes séropositive pour le sida,** sachez que la grossesse n'est plus déconseillée aujourd'hui. En effet, si vous êtes bien suivie, le risque de transmission à l'enfant est inférieur à 1 %. Prévenez votre praticien avant d'arrêter votre contraception, car certains traitements sont contre-indiqués pendant la grossesse et il faudra ➡

prendre des précautions pour protéger votre partenaire s'il est séronégatif. Si vous n'avez pas de traitement, et que vous n'en avez pas besoin, vous aurez un suivi de grossesse sans particularité. Au début du troisième trimestre, un traitement vous sera proposé jusqu'à l'accouchement pour diminuer le risque de contamination de l'enfant à la naissance. La césarienne n'est pas systématique, mais est parfois recommandée. Enfin, l'enfant aura un traitement préventif par sirop pendant les premiers mois de sa vie. L'absence de contamination pourra être affirmée au bout de quelques semaines à quelques mois après la naissance.

**Si vous avez perdu un enfant avant la naissance à la grossesse précédente, ou si vous avez fait au moins trois fausses couches,** votre praticien vous aura éventuellement prescrit un traitement préventif (le plus souvent de l'aspirine à faible dose, parfois associée à un autre médicament). Il est très important de commencer ce traitement précocement, et de consulter rapidement en début de grossesse. N'hésitez pas à faire du forcing dans la structure où vous souhaitez être suivie, sans accepter comme c'est parfois le cas un premier rendez-vous vers trois mois. Des échographies précoces vous rassureront sur la bonne évolution de la grossesse, puis lorsque vous sentirez votre enfant bouger, un suivi échographique du placenta par la mesure du flux sanguin dans les artères utérines (Doppler utérin) permettra ➡

de s'assurer de la bonne croissance de l'enfant. Très souvent, on vous proposera de surveiller le rythme cardiaque de votre enfant en fin de grossesse, voire de vous faire accoucher quelques jours plus tôt.

## 16 LE CHOIX DE SA MATERNITÉ ; LE SUIVI DE LA GROSSESSE

Le choix du lieu où votre enfant va naître est important, sur le plan médical bien sûr, mais aussi parce que le premier contact (pour ne pas dire le premier coup d'œil) avec l'extérieur est capital pour la façon dont il percevra le monde du dehors. L'ambiance générale, la gentillesse des équipes médicales, tout compte pour lui… et pour vous. Prenez donc votre temps avant de choisir. Nous avons listé ci-dessous un certain nombre de questions et d'éléments à prendre en compte.

**Aurai-je vraiment le choix ?** Si vous habitez **une grande ville,** probablement, mais si vous êtes éloignée de tout, **à la campagne,** il vous faudra sans doute vous rendre à la maternité la plus proche. Par ailleurs, si vous êtes déjà suivie par un gynécologue, vous aurez peut-être envie qu'il continue à le faire durant votre grossesse, vous choisirez alors d'accoucher dans l'établissement avec lequel il travaille. Faites-vous également préciser s'il sera lui-même présent le jour de votre accouchement, ou si vous serez prise en charge par l'équipe de garde ce jour-là.

## Les maternités françaises

Les maternités françaises (qu'elles soient privées ou publiques) sont classées en **trois niveaux.** Attention, il ne s'agit pas d'un niveau de qualité, mais d'un niveau d'équipement pour la prise en charge des nouveau-nés qui posent des problèmes à la naissance.

**Le niveau 1** concerne les maternités sans unité de soins pédiatriques où les bébés restent auprès de leur mère.

Les établissements de **niveau 2** ont une maternité et une unité de soins pédiatriques qui permet de prendre en charge des enfants peu prématurés ou nécessitant des soins. Ils sont recommandés tout particulièrement aux patientes en cas de grossesse multiple.

Les établissements de **niveau 3** comportent une maternité et un service de réanimation néo-natale adapté à la prise en charge d'enfants très prématurés ou présentant des pathologies graves.

Quel que soit leur niveau, les maternités sont tenues d'avoir le matériel minimal indispensable pour la sécurité des mères et des enfants : monitoring, salle d'opération pour les césariennes*…  ➡

Par ailleurs, les maternités sont désormais organisées en réseaux, c'est-à-dire que les femmes suivies dans une structure ne disposant pas de réanimation néo-natale sont, dans la mesure du possible, transférées en cours de grossesse dans une structure adaptée lorsqu'elles présentent un risque pathologique. C'est ce que l'on appelle le **transfert in utero.** Cela permet à la mère qui accouche d'un prématuré d'être près de son enfant. Dans chaque région, il existe une cellule de régulation des transferts **in utero** que l'on peut joindre par téléphone.

**Votre situation personnelle et familiale.** Si vous êtes **seule,** vous aurez peut-être envie d'avoir des amis auprès de vous. Si vous avez déjà des enfants, il faut qu'ils puissent venir vous voir facilement avec votre conjoint. Si vous habitez une grande ville, attention à ne pas céder à la mode ou au prestige de telle ou telle maternité qui se trouve (malheureusement pour vous) à l'autre bout de la ville. **Pensez aux embouteillages et aux problèmes de transport :** le jour de l'accouchement, en cas de pépin, vous devez être en mesure d'arriver très vite à la maternité. Les histoires d'accouchement dans un taxi n'arrivent pas que dans les films!

**Hôpital ou clinique ?** L'hôpital (où la prise en charge par les régimes d'assurance maladie est à 100 %) fait parfois, à tort ou à raison, un peu peur à certaines, car ce sont souvent de grands établissements, impersonnels ; vous leur préférez peut-être de prime abord une clinique, plus petite, plus conviviale. Attention toutefois à bien vérifier s'il s'agit d'une **clinique conventionnée** (prise en charge à 100 % par l'assurance maladie) ou agréée (vous payez, vous êtes remboursée ultérieurement à environ 80 % ; votre mutuelle pouvant, le cas échéant, compléter).

.....................................................................................................

💡 *Pour savoir si une clinique est agréée ou conventionnée, adressez-vous à votre CPAM (organisme d'assurance maladie).*

.....................................................................................................

Votre choix doit être avant tout guidé par **la nature de votre grossesse et la qualité des prestations fournies** par l'établissement que vous choisirez sur le plan **médical**, mais aussi sur celui du confort et de l'ambiance générale :

- Avez-vous une grossesse à risques ou non ? C'est fondamental, car si vous souffrez d'une pathologie particulière ou si vous avez besoin d'un suivi médical spécialisé, vous devrez accepter d'accoucher à tel ou tel endroit disposant des services nécessaires, même si c'est loin de chez vous.

- Les équipes médicales sont-elles suffisantes? Beaucoup de femmes se plaignent d'avoir trop attendu avant d'être prises en charge au moment de l'accouchement; y a-t-il un anesthésiste en permanence?
- De combien de lits la maternité dispose-t-elle?
- La pouponnière est-elle près de la chambre; peut-on garder le bébé dans sa chambre?
- Quelle est l'ambiance générale? Quel accueil fera-t-on au père et à la famille; les enfants ont-ils un droit de visite?
- Comment se passent les soins aux bébés à la naissance; les mères peuvent-elles y participer?
- Y a-t-il des chambres particulières, comment sont les repas (si vous suivez un régime particulier, pourrez-vous le continuer à la maternité)?
- Y a-t-il le téléphone dans les chambres, la télévision?…

N'hésitez pas à demander à voir les chambres et à visiter la maternité, cela vous donnera une bonne idée d'ensemble. Dès que vous aurez fait votre choix, **inscrivez-vous le plus tôt possible, dès que vous êtes sûre d'être enceinte.**

On vous demandera la date de vos dernières règles afin de calculer la date probable de votre accouchement.

De plus en plus, une importance toute particulière est accordée **au suivi et à l'accompagnement de la grossesse,** tant sur le plan médical que social. C'est une demande des femmes depuis longtemps : améliorer la qualité de l'environnement humain dans les maternités. Si vous avez des difficultés d'ordre financier ou que vous êtes isolée de votre famille, vous pouvez demander à bénéficier de

### Le suivi médical de grossesse

Vous n'êtes bien sûr pas obligée de faire tous les examens de suivi de grossesse au même endroit. Votre médecin traitant, votre gynécologue ou une sage-femme peuvent vous suivre les premiers mois avant de vous conseiller sur un lieu d'accouchement. Vous pouvez aussi vous faire suivre dans une PMI où tous les examens obligatoires sont gratuits. Sachez enfin que le suivi médical d'une grossesse jusqu'à son terme est un travail d'équipe. Votre dossier est connu de tous ceux qui en ont la charge. Aussi, le jour où vous accoucherez, ne soyez pas inquiète si «votre médecin» habituel n'est pas présent. Ceux qui mettront votre bébé au monde auront toute compétence pour le faire.

l'« **entretien du quatrième mois** » avec la sage-femme qui s'occupera de votre préparation à la naissance. Cet entretien, pris en charge par la Sécurité sociale, vous permet d'exposer vos difficultés tôt dans la grossesse et de mettre en œuvre les solutions pour les résoudre. C'est aussi le souci des équipes médicales et soignantes, des services sociaux des hôpitaux qui mettent tout en œuvre pour prévenir les accidents éventuels, accorder un soutien psychologique ou matériel aux femmes en difficulté afin qu'elles mènent leur grossesse à terme dans les meilleures conditions, les accompagner pendant les quelques jours de présence à la maternité, les informer des aides possibles à la sortie. De nombreux établissements ont mis en place des « groupes de parentalité » (comprenant des médecins, des sages-femmes, des membres des équipes sociales de la PMI, de l'aide à l'enfance) chargés, lorsqu'une femme enceinte fait preuve d'une souffrance, quelle qu'elle soit, susceptible de mettre en danger sa vie et celle de son enfant, d'examiner son dossier (avec son accord) et le cas échéant de lui accorder un soutien matériel, psychologique, voire psychiatrique pendant sa grossesse et après.

......................................................................

💡 *Si, par extraordinaire, vous devez accoucher dans un endroit qui n'était pas prévu au départ, rassurez-vous, les hôpitaux sont tenus d'accepter toute femme arrivant en urgence pour accoucher. Sachez aussi qu'il y a toujours un hôpital public dont vous dépendez dans votre secteur qui est obligé de vous accepter.*

Autre amélioration notable : le suivi à domicile voire, dans les cas nécessitant des soins complexes, **l'hospitalisation à domicile (HAD),** devient, dans de nombreux cas, une alternative crédible à l'hospitalisation. Des sages-femmes, des infirmières se déplacent chez vous et viennent vous prodiguer soins et examens nécessaires. C'est une solution souple et bien plus confortable pour les mères et moins coûteuse pour la Sécurité sociale.

Tout ce travail est effectué grâce à des équipes médicales de mieux en mieux formées et organisées :

- **Les sages-femmes** font partie du personnel médical. Ce sont elles qui veillent à la bonne marche des choses depuis le diagnostic de grossesse jusqu'à l'accouchement (et même après). À chacune de vos visites à la maternité, elles feront, le cas échéant, les consultations ; mais surtout, au moment de l'accouchement, elles sont omniprésentes. N'hésitez pas à vous ouvrir à elles pour tout problème que vous pourriez rencontrer : elles sont à l'écoute et formées pour vous aider. Les sages-femmes assurent elles-mêmes environ deux tiers des accouchements.

- **Le gynécologue-obstétricien** est le médecin-accoucheur. Il intervient surtout lors des grossesses pathologiques et des accouchements compliqués.
- **Les équipes des maternités** se composent également de **puéricultrices** qui s'occupent du bébé après sa naissance et vous apprennent à le faire vous-même. Le pédiatre de la maternité vérifiera la bonne santé de votre enfant à la naissance et effectuera les tests nécessaires.

Un problème demeure encore souvent : dans les maternités se succèdent les équipes de jour et les équipes de nuit (de semaine et de week-end), et les femmes se plaignent parfois de problèmes de coordination entre ces équipes. Lorsque l'on vient d'accoucher et que l'on est fatiguée, il n'est pas toujours facile de savoir qui fait quoi, et les femmes ont parfois des difficultés à se faire entendre et comprendre, surtout lorsqu'elles souffrent. Si vous êtes dans ce cas, n'hésitez pas à appeler la sage-femme ou le médecin de garde, même en pleine nuit. La souffrance n'est pas une fatalité et l'on doit pouvoir vous soulager. Quant à votre bébé, si vous avez des craintes le concernant, n'hésitez pas à le dire.

## ⓱ LES DÉMARCHES À EFFECTUER

**La déclaration de grossesse** est la première et la principale démarche que vous avez à effectuer au cours du premier trimestre. À la fin de votre premier examen de grossesse, votre médecin vous remet un formulaire de déclaration de grossesse qui comprend une présentation et trois feuillets. La page de présentation vous donne la marche à suivre et vous rappelle les principales étapes du suivi médical de la grossesse. Elle vous indique également que le versement d'allocations familiales est soumis à l'étude de vos ressources.

Immédiatement après votre visite chez le médecin et **au plus tard avant la fin de la quatorzième semaine de grossesse, les deux premiers feuillets bleus doivent être remplis et envoyés à l'organisme chargé de vous verser les prestations familiales (CAF).**

Après les examens de laboratoire (vous n'êtes pas obligée d'avoir les résultats), **le feuillet rose doit être envoyé à l'organisme d'assurance maladie (CPAM)** avec les feuilles de soins correspondant aux examens, afin d'obtenir la prise en charge des frais médicaux et d'accouchement. Une fois informés, ces deux organismes vous adressent toutes les informations nécessaires pour vos démarches ultérieures. Vous recevez le cas échéant un **guide de** surveillance médicale de la femme enceinte et du nourrisson.

Ce carnet est un document administratif qui contient notamment toutes les attestations qui seront à remplir après chaque examen. Un **carnet de santé de la maternité** peut également vous être adressé par le conseil général de votre département (services de la PMI). Ce carnet de santé est rempli par les médecins ou les sages-femmes après chaque examen (lorsqu'ils ne sont pas joignables par téléphone 24 heures sur 24). Ainsi, si vous devez consulter en urgence un autre médecin, celui-ci aura alors tous les éléments nécessaires pour vous prendre en charge. Vous recevrez également une **carte de priorité** pour les transports en commun.

Si vous travaillez, **avertissez votre employeur** de votre grossesse avant la fin du troisième mois. Cette démarche n'est pas obligatoire, mais fortement recommandée.

.....................................................................

💡 *La prime à la naissance de la prestation d'accueil du jeune enfant (Paje) est versée sous conditions de ressources à la fin de la grossesse. Il faut en faire la demande à la CAF dans les 14 premières semaines de grossesse.*

.....................................................................

Pensez rapidement au mode de garde (crèche, assistante maternelle, halte-garderie…) que vous choisirez pour votre enfant. Si vous souhaitez le mettre à la crèche, inscrivez-le très vite. Demandez la liste des crèches à votre PMI ou à votre mairie.

## La reconnaissance anticipée de l'enfant

On parle de reconnaissance anticipée lorsque le père ou la mère, ou les deux parents, souhaitent reconnaître leur futur enfant avant la naissance, voire dès le début de la grossesse. La reconnaissance anticipée se fait à la mairie, auprès d'un officier de l'état civil. Selon le code civil, une reconnaissance anticipée est un acte permettant de donner une filiation à un enfant à naître et de lui donner un statut juridique avant même sa naissance. C'est une démarche que de nombreux couples non mariés adoptent pour que leurs futurs enfants puissent bénéficier des mêmes avantages qu'un enfant légitime né après le mariage.

# DU TROISIÈME
# AU SIXIÈME MOIS

•

C'est la période euphorique de la grossesse, diront certaines. De fait, les petits malaises du début se dissipent, vous n'avez pas encore les inconvénients de la prise de poids et de la lourdeur de la fin de la grossesse, et, miracle… vous le sentez bouger !

## 18 COMMENT SE DÉVELOPPE LE FŒTUS ?

Le premier trimestre a été celui de la formation des organes. Au second, ceux-ci vont se développer. On dit souvent que c'est le **trimestre du mouvement**, parce que le fœtus se met à bouger énormément (à partir du cinquième mois surtout) et que les femmes le sentent « vivre » à l'intérieur de leur corps.

**Au quatrième mois,** le corps et la tête du fœtus sont moins disproportionnés. La peau se couvre de duvet. L'appareil digestif se met en marche. Le visage devient plus humain. Les cheveux commencent à pousser. **Le fœtus pèse 200 à 250 g et mesure 15 cm.**

**Au cinquième mois, votre enfant bouge** et vous commencez à le sentir très nettement. Certaines parlent de petites vagues très douces, d'autres sentent des petits coups plus fermes. C'est, dans tous les cas, un grand moment, d'autant plus grand que vous pouvez désormais le faire partager : en posant la main doucement sur le ventre, le père peut lui aussi sentir les mouvements du fœtus. La période où l'on commence à sentir le fœtus bouger varie selon les femmes (l'élasticité de la peau et le poids entrent en jeu) et selon qu'il s'agit d'un premier ou d'un second enfant. Mais, cela se situe toujours vers le quatrième ou le cinquième mois. Le fait que le fœtus bouge beaucoup n'a rien à voir avec le caractère qu'il aura plus tard : n'en concluez pas que vous avez un enfant nerveux !

................................................................

💡 *Attention, si à partir du cinquième mois vous ne sentez pas votre enfant bouger durant 24 heures, consultez votre médecin.*

................................................................

Les mouvements du fœtus sont fréquents et assez coordonnés. Ses mains et ses membres sont déjà bien formés. Parfois même, à l'échographie du deuxième trimestre, on peut voir l'enfant porter la main à la bouche et sucer son pouce. Il ouvre et ferme la bouche. Il boit le liquide amniotique. Il en a même le hoquet parfois, ce qui se traduit par des mouvements brefs, saccadés, qui ne doivent pas vous inquiéter. Les yeux sont clos. Le fœtus entend. **Il pèse 500 g et mesure 25 cm.**

**Au sixième mois,** les mouvements deviennent de véritables flexions-extensions qui donnent la sensation de bourrades. Il voit (les paupières s'ouvrent). Les traits du visage sont de plus en plus nets. Le profil est parfaitement dessiné. Le cerveau se développe. **Le fœtus pèse environ 1 kg et mesure 30 cm.**

## 19 VOTRE CORPS SE TRANSFORME

L'utérus grossit et cela commence à se voir : au sixième mois, il dépasse le nombril. Les seins se préparent, les aréoles grossissent et le **colostrum\*** apparaît (vers le **cinquième mois**).
C'est globalement une période calme et sereine. Vous avez le teint frais. Vous vous sentez bien. Cependant, attention à ne pas dépasser vos limites, sachez vous reposer, c'est à cette période que le surmenage peut entraîner des risques d'**accouchement prématuré.**

Si vous avez des saignements, des contractions, un écoulement de liquide, de la fièvre ou une éruption cutanée, consultez vite votre médecin. **Attention** aussi aux **dangers de l'automédication :** ne prenez pas de médicaments sans avis médical.

## ⓴ LES EXAMENS RECOMMANDÉS ET FACULTATIFS

À partir du quatrième mois, vous aurez un examen tous les mois. **Chaque examen** comprendra :
- l'analyse des troubles éventuels que vous ressentez ;
- la prise de tension artérielle ;
- la surveillance de votre poids ;
- la mesure de la hauteur de l'utérus (avec un centimètre) ;
- l'écoute du cœur de l'enfant ;
- le toucher vaginal pour vérifier que le col de l'utérus est bien toujours fermé (cet examen n'est plus systématique à chaque consultation en l'absence de contractions ressenties par la femme) ;
- **une analyse d'urine** (recherche du sucre et de l'albumine) ;

• **une prise de sang :** dans les cas où vous n'étiez pas immunisée contre la toxoplasmose au premier examen, le test sérologique sera répété tous les mois.

Si votre **rhésus\* est négatif,** on recherchera la présence d'anticorps irréguliers tous les mois. On peut également dans certains établissements déterminer en vous faisant une simple prise de sang si votre enfant est rhésus positif ou négatif. En effet, quelques-unes de ses cellules circulent dans votre sang et peuvent être isolées. S'il est rhésus négatif comme vous, il n'y aura aucun risque d'immunisation et la surveillance des anticorps irréguliers s'arrêtera. En revanche, s'il est rhésus positif, on vous fera vers la fin du sixième mois une injection d'anticorps passifs pour éviter la survenue d'une immunisation.

**Une deuxième échographie** est réalisée à la **fin du cinquième mois.** Elle permet un **examen morphologique** détaillé du fœtus. Après avoir repéré sa position, l'échographiste mesure le diamètre et le périmètre de sa tête, ceux de son abdomen, et la longueur de ses fémurs et de ses pieds. Il examine ensuite chaque partie du corps (cerveau, face, colonne vertébrale, poumons, cœur, foie, vésicule biliaire, estomac, intestin, vessie, organes génitaux) et visualise tous ses doigts. Cela peut durer très longtemps, en particulier si votre fœtus n'est pas dans une bonne position pour une telle observation, et il n'est pas rare que l'on vous fixe un autre rendez-vous quelques jours plus tard.

Votre médecin repérera aussi la position du placenta. En effet, il arrive que le placenta saigne en cours de grossesse s'il est inséré près de votre col de l'utérus (placenta bas-inséré*).

**Au sixième mois, une prise de sang** permet :

- la numération globulaire (dosage de l'hémoglobine) pour dépister une éventuelle anémie ;
- la recherche de l'antigène HbS (hépatite B) ;
- le dépistage du diabète est désormais réservé aux femmes ayant des facteurs de risque, notamment des antécédents de diabète dans la famille. Il consiste à mesurer votre taux de sucre dans le sang à jeun, puis à vous faire boire un verre d'eau sucrée et à redoser le sucre 1 à 2 heures plus tard pour s'assurer qu'il a été totalement absorbé.

## ㉑ LES DÉMARCHES DU DEUXIÈME TRIMESTRE

Vous devez systématiquement, si vous êtes bénéficiaire des allocations familiales, **après chaque examen, envoyer l'attestation** correspondante (elle se trouve dans le guide de surveillance médicale, voir pages 56/57) **à votre organisme d'assurance maladie (Sécurité sociale).** Ne manquez pas de le faire, sinon vous perdriez vos droits aux allocations familiales. En effet, c'est à ce moment que vous recevrez le premier versement mensuel de l'allocation au jeune enfant, accordée sous conditions de ressources, jusqu'à la troisième année du bébé.

Renseignez-vous sur les **cours de préparation à la naissance.** Ils sont généralement dispensés par des sages-femmes, la première séance correspondant pour celles qui le souhaitent à l'entretien du quatrième mois (voir pages 102/103).

# LES TROIS DERNIERS MOIS

•

## ㉒ COMMENT LE FŒTUS SE DÉVELOPPE ?

Le dernier trimestre est celui des finitions et de l'éveil des sens. Le fœtus ressemble de plus en plus à l'enfant qui va naître. À la fin du septième mois, **il pèse 1,8 kg et mesure 40 cm**. Son système nerveux est de plus en plus perfectionné.

C'est **vers le huitième mois** que le bébé prend le plus souvent sa **position tête en bas**. C'est aussi au cours de ce mois crucial que les poumons s'achèvent. Le neuvième mois assure les derniers perfectionnements. Toutefois, l'ossification (notamment au niveau des fontanelles*), le parachèvement du système nerveux, l'étanchéité entre les deux parties du cœur ne se feront qu'après la naissance.

C'est surtout **l'éveil des sens** qui est spectaculaire pendant ce trimestre. Tous les sens sont concernés. Le bébé entend, il goûte, il voit, il touche et il sent.

## ㉓ VOTRE CORPS SE TRANSFORME

C'est au cours de ce trimestre qu'elles sont les plus évidentes pour vous. Fort heureusement, le **congé maternité** vous permet désormais de prendre le repos nécessaire. C'est aussi le temps de l'attente. Écoutez bien les signaux que vous donne votre corps ; il est possible que vous ayez des contractions : consultez vite votre médecin si c'est le cas. Le risque principal du dernier trimestre est celui de l'accouchement prématuré (avant la 37e semaine d'aménorrhée).

Vous grossissez, environ de 1 kg à 1,5 kg par mois, ressentez une certaine lourdeur et des douleurs dans le dos. Évitez les efforts (monter les escaliers), changez souvent de position, et reposez-vous allongée sur le côté. Souvent, vous ressentez des brûlures qui remontent de l'estomac vers la gorge, surtout après les repas. Essayez alors de manger plus souvent et en moins grande quantité à la fois, de ne pas boire pendant les repas pour ne pas trop remplir l'estomac, et surtout de ne pas vous allonger dans l'heure qui suit la fin du repas (au besoin, dormez à demi assise). Vous pouvez également demander à votre médecin de vous prescrire un traitement spécifique.

Au troisième trimestre, surtout en été, les jambes sont très souvent gonflées, surtout le soir. N'hésitez pas à les mettre à l'horizontale aussi souvent que possible, à surélever les pieds du lit voire à porter des bas de contention veineuse. Si vos jambes sont gonflées dès le matin, ou si l'une l'est plus que l'autre, consultez rapidement votre médecin.

## ㉔ LES EXAMENS RECOMMANDÉS ET FACULTATIFS

Les examens des derniers mois sont identiques aux précédents. Si vous n'êtes pas immunisée, une sérologie de la toxoplasmose sera faite chaque mois.

**Un contrôle de la coagulation sanguine (hémostase)** doit être pratiqué pour évaluer le risque de saignement à l'accouchement et permettre une éventuelle péridurale. Au cours du huitième mois, un **prélèvement vaginal** sera réalisé pour rechercher le **streptocoque B**. Ce germe, présent chez 10 % des femmes, ne pose aucun problème à la mère mais peut favoriser certaines infections graves du nourrisson. Il est donc recherché systématiquement chez toutes les femmes enceintes en fin de grossesse et, s'il est présent, un traitement antibiotique est donné à la mère **uniquement pendant l'accouchement** pour protéger l'enfant.

**L'échographie du septième ou du début du huitième mois** sert à vérifier la bonne croissance de votre fœtus en mesurant sa tête, son abdomen, son fémur et à dépister une hypotrophie* (fœtus trop petit) ou une macrosomie* (fœtus trop gros). Cette échographie permet également de vérifier sa position tête ou fesses en bas, de contrôler que le placenta ne s'insère pas près de votre col (placenta *praevia**) et de dépister d'éventuelles malformations tardives (dilatation des reins, par exemple). Enfin, on mesurera le flux sanguin dans l'artère ombilicale (Doppler ombilical) qui permet d'apprécier la qualité des échanges entre la mère et l'enfant.

........................................................................................

💡 *Il faut une consultation d'anesthésie avant la fin du huitième mois de grossesse, plus tôt s'il existe une pathologie maternelle particulière.*

........................................................................................

Si votre enfant se présente par le siège à sept mois, pas de panique, il a toutes les chances de se retourner dans le mois qui suit. Votre médecin vous reverra un mois plus tard pour le savoir et s'il est toujours en siège, pourra vous proposer une **version par manœuvres externes** (VME). Ce geste se fait en milieu hospitalier et consiste, sous contrôle échographique, à soulever doucement les fesses du bébé à travers votre ventre puis à pousser sur sa tête pour essayer de le faire tourner tête en bas. C'est indolore si vous êtes bien détendue et que le médecin n'insiste pas en cas de difficulté. Ce geste représente un petit risque de césarienne en urgence si votre enfant n'apprécie pas d'être déplacé. C'est pourquoi il est toujours réalisé en milieu hospitalier et sous contrôle strict, et jamais avant la fin du huitième mois. Il permet si la manœuvre réussit d'éviter une césarienne, qui est fréquente en cas de présentation du siège.

Si votre bébé se présente par **le siège,** ou si vous avez eu une césarienne à la grossesse précédente, on fera une **radiopelvimétrie par scanner** pour mesurer la taille de votre bassin.

Le jour de votre terme, si vous n'avez ressenti aucune contraction, vous devrez consulter à la maternité pour s'assurer que tout va bien. En effet, passé neuf mois, le placenta peut fonctionner moins bien, ce qui se traduit par une diminution de la quantité de liquide amniotique et des mouvements du bébé, voire par des anomalies de son rythme cardiaque. Si tous les examens sont normaux, vous serez revue toutes les 48 heures. Généralement, on déclenche l'accouchement dans tous les cas une semaine après le terme au plus tard.

## 25 LES DÉMARCHES DU DERNIER TRIMESTRE

Comme pour les autres examens, vous devez envoyer les attestations à votre centre d'assurance maladie (CPAM). Vous continuez à toucher, si vous y avez droit, l'allocation au jeune enfant. Si vous ne l'avez pas déjà fait, inscrivez votre enfant à la crèche, le cas échéant.

**Le congé maternité** va vous permettre de préparer votre valise et le trousseau du bébé (voir page 106). Toute femme qui travaille et qui peut justifier d'un délai d'immatriculation de dix mois au minimum avant l'accouchement et d'une durée minimale de travail salarié de 200 heures au cours des trois mois civils ou des 90 jours précédant la grossesse bénéficie d'un congé maternité pendant lequel elle reçoit 100 % de son salaire net. Ce congé est de **16 semaines au minimum pour les deux premiers enfants**. Un congé pathologique supplémentaire de 15 jours est accordé aux femmes présentant une grossesse à risques ou une grossesse pathologique (C. trav., art. L. 122-26, al. 2).

## Durée du congé maternité en semaines

| Type grossesse | Période prénatale | Période postnatale | Durée totale du congé |
|---|---|---|---|
| Moins de 2 enfants au foyer | 6 (1) | 10 | 16 |
| **Grossesse simple**<br>Le foyer est déjà composé de 2 enfants | 8 (1) (2) | 18 (2) | 26 |
| Grossesse gémellaire | 12 (1) (2) | 22 (3) | 34 |
| Grossesse triplés ou + | 24 (1) | 22 | 46 |

(1) En cas d'état pathologique, le repos prénatal peut être augmenté de deux semaines au plus.

(2) La période prénatale peut être augmentée de deux semaines au maximum sans justification médicale, la période postnatale est alors réduite d'autant.

(3) La période prénatale peut être augmentée de quatre semaines au maximum sans justification médicale, la période postnatale est alors réduite d'autant.

Source : www.avis-droit-social.net

## Le congé paternité

Mis en place depuis 2002, le congé dit « de paternité et d'accueil de l'enfant » peut être pris par tous les pères souhaitant disposer de deux semaines auprès de leur enfant, à l'occasion de sa naissance ou dans les premiers mois qui suivent. Il est facultatif. Depuis octobre 2012, le congé paternité a été élargi aux couples de même sexe.

**Durée du congé :** 11 jours calendaires non fractionnables; portée à 18 jours en cas de naissance multiple. Ce congé s'ajoute aux trois jours déjà accordés au père pour une naissance. Il doit être pris dans un délai de quatre mois.

**La demande de congé** doit être adressée à l'employeur par lettre recommandée avec avis de réception au moins un mois avant la prise du congé.

**Calcul :** pour les salariés, l'indemnité est égale au salaire brut diminué des cotisations de Sécurité sociale et de la CSG, dans la limite du plafond de la Sécurité sociale. Pour les non-salariés, les indemnités seront forfaitaires et égales à 1/60 du plafond de la Sécurité sociale.

**Conditions d'attribution :** pour en bénéficier, le salarié doit justifier auprès de la caisse primaire d'assurance maladie :

- de l'établissement de la filiation de l'enfant à son égard par la production d'un extrait d'acte de naissance;  ➡

- de la cessation de son activité professionnelle ; d'une durée d'immatriculation comme assuré social de dix mois au moins à la date du début du congé paternité ;

- d'avoir travaillé au moins 200 h au cours des trois mois précédant la date du début du congé de paternité ou d'avoir cotisé sur un salaire au moins égal à 1 015 fois le SMIC horaire au cours des six mois précédant.

Source : www.avis-droit-social.net

# VOUS ET VOTRE CORPS

•

## ㉖ VOTRE VIE QUOTIDIENNE

Être enceinte n'est pas une maladie, c'est un état naturel. Vous pouvez continuer de vivre une vie normale sur tous les plans. Vous devez simplement songer à vous protéger, ainsi que votre enfant à naître, en veillant au calme, à la régularité et à l'équilibre de votre vie quotidienne (heures des repas, nombre d'heures de sommeil…). Pour certaines, qui exercent des professions qui les conduisent à voyager beaucoup ou à faire des efforts physiques importants, il faudra autant que possible chercher des aménagements avec votre médecin et votre employeur dès le début de la grossesse.

Vivre normalement signifie que vous pouvez avoir des **relations sexuelles** jusqu'au bout de votre grossesse. Cette remarque vaut, bien sûr, pour les grossesses qui ne présentent pas de risques particuliers. Si c'est le cas, votre médecin vous en avertira. Avoir des relations sexuelles ne présente aucun danger pour le fœtus. Les rapports sexuels peuvent provoquer des saignements ou des contractions, mais cela est sans danger (sauf en cas de placenta bas-inséré ou de menace d'accouchement prématuré). Quant à la fréquence des rapports et à la manière de les vivre, c'est l'affaire intime de chaque couple. Contrairement à certaines idées reçues, il n'est pas du tout prouvé que la grossesse distende les relations d'un couple du point de vue sexuel.

Le **sport** n'est pas interdit durant la grossesse. Un certain nombre de sports sont même recommandés aux femmes enceintes, comme la marche à pied ou la natation. Mais attention à ne pas dépasser vos limites. Par ailleurs, si vous n'étiez pas particulièrement sportive avant, ce n'est pas la peine de vous croire obligée de vous y mettre maintenant. Il y a bien d'autres façons de faire de l'exercice : gymnastiques douces, yoga…

### Attention danger : tabac, alcool, médicaments

**Le tabac** nuit à la santé. Fumer pendant la grossesse augmente la fréquence des fausses couches, des saignements d'origine placentaire, le risque d'hypertension et ralentit la croissance du fœtus. Les bébés sont plus petits à la naissance et plus fragiles que la moyenne. De plus, le tabac augmente le taux de césarienne et la fréquence des cas de mort subite du nourrisson (en raison d'une immaturité des centres de commande de sa respiration). ➥

La grossesse peut être **une bonne occasion d'arrêter de fumer.** Les premiers mois, vous avez moins envie de fumer en raison de vos troubles digestifs. Il suffit de continuer ensuite sur cette bonne voie. Votre médecin vous aidera. Vous êtes motivée, alors profitez-en !

**L'alcool** est également **interdit** : comme le tabac, il atteint directement le fœtus et peut provoquer de graves malformations. Si une femme qui souffre d'alcoolisme cesse de boire dès le début de la grossesse, le fœtus ne court aucun risque.

En ce qui concerne **les médicaments,** nous ne saurions trop insister sur les **dangers de l'automédication** pendant la grossesse. Ne prenez jamais de médicaments sans ordonnance, même un médicament dont vous avez l'habitude. En effet, un produit, même anodin *a priori*, comme le collyre ou les gouttes nasales, peut contenir un élément dangereux pour le fœtus. Par ailleurs, en dehors de très rares cas, **l'aspirine et les anti-inflammatoires** sont **contre-indiqués** pendant la grossesse. Certains antibiotiques sont contre-indiqués également, notamment pendant les trois premiers mois de la grossesse.

La grossesse n'est pas une contre-indication au voyage. Cependant, certains moyens de **transport** sont plus confortables que d'autres. Vous bénéficierez dès le début d'une **carte de priorité** qui vous permettra de vous asseoir dans les transports en commun (n'hésitez pas à faire valoir vos droits, même au début de la grossesse, lorsque rien n'est encore visible). Pour les déplacements en **voiture**, veillez à bien attacher votre ceinture de sécurité (ceinture trois points) : le ventre ne doit pas être serré, la ceinture du bas doit donc passer largement en dessous du nombril, sur la racine des cuisses ; celle du haut passera sur l'épaule et entre les deux seins. La ceinture de sécurité ne comporte aucun danger pour le fœtus. Pour les longs trajets, préférez la place de passager à celle de conducteur. Si vous devez voyager en **avion**, les grandes compagnies acceptent les femmes enceintes jusqu'au huitième mois de la grossesse sur présentation d'un certificat médical fait par votre médecin autorisant les voyages en avion. Évitez les compagnies qui n'offrent pas le minimum de confort nécessaire, notamment en ce qui concerne les repas et les boissons.

## Belle en attendant Bébé

S'il est un domaine qui focalise légitimement l'attention de nombreuses femmes enceintes, c'est celui de la **beauté**. Comment faire pour garder un joli teint ? Est-ce que mon corps sera déformé ? Aurai-je ou non des vergetures, le fameux masque de grossesse ? Mes seins seront-ils transformés après la grossesse ? Toutes ces questions, toutes ces craintes vous habitent un jour ou l'autre. Les magazines féminins regorgent d'articles à ce sujet. Consultez-les pour tel ou tel point qui vous préoccupe. Notre objectif est de vous donner quelques conseils de bon sens. Il est d'usage aujourd'hui de dire que la grossesse embellit les femmes. Et c'est juste, surtout lorsque vous acceptez votre grossesse, que vous vous sentez bien dans votre peau et que vous respectez une certaine hygiène de vie. « La beauté vient de l'intérieur », dit la chanson. Dans ce cas précis, c'est deux fois plus vrai. Cependant, il serait vain de nier que la grossesse n'apporte pas de changements visibles : vos seins gonflent et grossissent ; vers la fin, le bassin s'élargit. S'agissant des vergetures (qui sont de petites stries qui apparaissent en milieu de grossesse ou vers la fin, lorsque la peau se distend, sur les cuisses, les hanches, le bas du ventre et sur les seins), sachez que 50 % des femmes enceintes en ont, les autres non. On ignore les raisons véritables de leur apparition. Tout au plus a-t-on pu identifier un facteur familial prédisposant. Une bonne prévention consiste à bien hydrater les zones sensibles avant que le collagène ne craque, car alors les lésions sont irréversibles. Pour faire disparaître les vergetures, il n'y a malheureusement pas de produit miracle, même si tous les laboratoires se penchent sur la question.

## Dix conseils anti-fatigue et anti-stress

1. Soignez votre peau et vos cheveux : ce sont des points sensibles durant la grossesse et vous trouverez facilement les crèmes, shampooings ou masques qui vous conviennent.

2. Ayez toujours une bouteille d'eau à portée de main.

3. Évitez les produits agressifs : produits alimentaires trop acides ou lourds à digérer, produits ménagers toxiques.

4. Faites régulièrement du sport (marche, natation, gymnastique douce) ou des exercices de décontraction.

5. Mangez régulièrement et lentement, cela facilite la digestion et l'équilibre général.

6. Évitez si possible les situations stressantes (prenez le métro et faites vos achats aux heures creuses…).

7. Efforcez-vous d'avoir un sommeil régulier.

8. Vérifiez votre literie de façon à éviter les maux de dos dus à une mauvaise position pendant le sommeil.

9. Au fur et à mesure de l'avancement de la grossesse, accordez-vous des pauses en vous allongeant et en surélevant les pieds avec un coussin ou une couverture pliée (pour faciliter la circulation).

10. Ne vous couchez pas tout de suite après le dîner.

Quant au **masque de grossesse** qui apparaît chez certaines sous la forme de taches brunes sur le visage (et également par une ligne verticale qui va du pubis au nombril), là encore, ces troubles de la pigmentation ne touchent pas toutes les femmes. Le masque de grossesse peut se prévenir surtout par l'application d'écrans solaires (en été et aux sports d'hiver). En revanche, la ligne qui se pigmente en brun du nombril au pubis, pas toujours au milieu, est inévitable et parfaitement normale. Elle correspond à la ligne de fermeture de notre abdomen lorsque nous étions nous-mêmes embryons. Ces signes disparaissent après la grossesse.

## 27 BIEN MANGER PENDANT LA GROSSESSE

Votre bien-être et votre forme seront conditionnés pour l'essentiel par votre **alimentation, qui doit être avant tout équilibrée** : ne mangez pas plus que d'habitude, mais veillez à **ne jamais sauter un repas**. En cas de petites faims ou de petites envies, préférez un fruit à un gâteau. Votre organisme a besoin de protéines, de graisses (d'origine végétale surtout), de fibres. Pour éviter les prises de poids inutiles, ne mangez pas trop de sucre, ni de graisses animales.

**Mangez du poisson, de la viande, des laitages, des légumes et des fruits.** Buvez du lait et de l'eau. Si votre alimentation est suffisamment diversifiée, elle contient toutes les vitamines nécessaires. Tout au plus, votre gynécologue vous ajoutera-t-il du fer, pour éviter tout risque d'anémie. Les aliments riches en fer sont, entre autres, le cacao, les épinards et certains légumes verts, les abricots secs, les œufs durs.

En ce qui concerne la prise de poids, essayez de ne pas dépasser 9-10 kg, en sachant que l'on grossit plus en fin de grossesse qu'au début (certaines femmes maigrissent même durant les trois premiers mois). La prise de poids recommandée est, en général, de 0 kg par mois au premier trimestre, 1 kg par mois au deuxième trimestre et 2 kg par mois au troisième (= 9 kg en tout). Toutefois, les femmes minces ont tendance à grossir un peu au premier trimestre, car leur organisme « fait des réserves ».

_Respectez quelques règles simples d'hygiène : lavez les aliments, évitez de manger de la viande peu cuite (risque de toxoplasmose)._

# ㉘ Les malaises courants

Les petits ennuis de la grossesse sont nombreux, et surviennent le plus souvent au début.

Les **nausées**, les **vomissements**, les **troubles de l'appétit** et de la **digestion** sont en général des maux des trois premiers mois, qui surviennent surtout le matin au réveil et sont déclenchés par certaines odeurs. Ils disparaissent ensuite. Pour les atténuer, il faut essayer de manger des petits repas, fractionnés, en évitant les aliments qui écœurent. Votre médecin pourra également vous prescrire un médicament contre les vomissements.

Le **reflux gastro-œsophagien** est également fréquent, il survient surtout dans les deux derniers trimestres de la grossesse et se manifeste par une sensation d'aigreur, de brûlure, remontant de l'estomac jusque dans la gorge. Souvent, cela se produit en pleine nuit. Il faut fractionner les repas, éviter les boissons gazeuses, même si elles sont tentantes, et les aliments acides ou irritants (alcool, épices, vinaigre, chocolat, café…). Il faut également éviter de s'allonger après les repas. Un tiers des femmes enceintes souffrent par ailleurs de **constipation**, s'accompagnant ou non d'**hémorroïdes**. Il faut dans ce cas respecter une hygiène alimentaire stricte (manger des fibres, des légumes verts), boire de l'eau en grande quantité (environ un litre et demi par jour) et aller régulièrement à la selle.

.................................................................

💡 *Un verre d'eau très froide le matin à jeun est en général un remède souverain.*

.................................................................

**L'hypersalivation** fait partie des petits maux du début qui disparaissent ensuite.

Les **varices** apparaissent chez une femme enceinte sur deux et doivent faire l'objet de toute votre attention afin d'éviter les risques de phlébites\* après l'accouchement. Si vous sentez une gêne dans les membres inférieurs, n'hésitez pas à en parler à votre médecin. Le repos les jambes surélevées, les douches froides ainsi que les massages parviennent à bien les soulager. Le médecin peut y ajouter le port de collants de contention (chers, autour de 40 €), mais remboursés par la Sécurité sociale. En général, les varices disparaissent en deux ou trois mois.

**Problèmes bucco-dentaires** (gingivites) et problèmes oculaires peuvent survenir. Une visite chez un spécialiste est vivement conseillée en cas de douleur. Dans tous les cas, n'hésitez pas à pratiquer les soins dentaires nécessaires, l'anesthésie locale n'est pas contre-indiquée pendant la grossesse.

**Fourmillements et crampes** sont très fréquents également. Un traitement de vitamines B et de magnésium est alors prescrit.

........................................................

💡 *Toute femme enceinte séronégative pour la toxoplasmose doit, à titre préventif, éviter :*
*• les contacts avec les chats, surtout avec leurs excréments ;*
*• les viandes crues ou peu cuites et les aliments crus mal lavés.*
........................................................

## 29 LES MALADIES QUI PEUVENT SURVENIR

Le **diabète** est une maladie due à un taux de sucre trop élevé dans le sang. Le risque de diabète lorsque l'on est enceinte est important. Or, il peut entraîner des complications graves : mort du fœtus, poids trop élevé du bébé à la naissance, accouchements prématurés… et pour vous, des infections urinaires et vaginales. En outre, le risque de développer pour vous un diabète permanent après la grossesse et pour votre enfant un diabète et une obésité à l'adolescence est réel. C'est pourquoi le médecin réalise des examens de dépistage (recherche du sucre dans les urines, prise de sang à jeun et après avoir mangé une certaine quantité de sucre).

Il y a deux cas possibles de diabète pendant la grossesse : vous étiez déjà diabétique, vous serez traitée à l'insuline pendant toute la grossesse et la surveillance sera intensifiée ; l'hyperglycémie est découverte pour la première fois : vous avez un **diabète gestationnel.** Dans ce cas, vous devrez suivre un régime particulier et, si besoin, vous serez traitée à l'insuline.

**La toxoplasmose** est une maladie due à un parasite qui se trouve essentiellement dans les viandes mal cuites ou crues et dans les déjections des chats. Cette affection habituellement bénigne est grave en cas de grossesse, car elle peut atteindre le fœtus. Le risque d'atteinte fœtale est faible avant le troisième mois et s'élève progressivement jusqu'à la fin de la grossesse. En revanche, la gravité de l'infection évolue inversement : elle est d'autant plus bénigne qu'elle a lieu vers la fin de la grossesse.

Le dépistage systématique est réalisé en début de grossesse. Si vous êtes immunisée, vous l'êtes définitivement (ce qui est le cas pour ⅓ des femmes en France). Si vous êtes séronégative, on vous fera un examen de sang tous les mois jusqu'à la fin de la grossesse. En cas de séroconversion*, il existe des traitements aujourd'hui très efficaces.

**La grippe** peut être plus grave chez une femme enceinte et la vaccination est vivement recommandée. En cas de syndrome grippal, surtout avec une forte fièvre, il faut consulter rapidement votre médecin ou aller à la maternité si vous êtes au troisième trimestre de la grossesse.

**Le cytomégalovirus*** (CMV) peut également atteindre l'enfant si une femme enceinte en est atteinte. Ce virus est très fréquent chez les jeunes enfants gardés en collectivité, qui le rejettent par leur salive et leurs urines. Son dépistage systématique chez la femme enceinte n'est pas utile, mais lorsqu'une femme a déjà un enfant en bas âge, elle doit s'abstenir pendant la grossesse de sucer sa cuillère ou de l'embrasser sur la bouche. Elle doit également se laver les mains après avoir changé sa couche. D'autres infections peuvent atteindre le fœtus pendant la grossesse. Au moindre doute, devant de la fièvre ou une éruption cutanée, il faut consulter en urgence, car un traitement préventif peut être nécessaire.

Pendant la grossesse, la femme enceinte éprouve souvent l'envie d'uriner. Parfois, cela s'accompagne de douleurs à la vessie, de sensations de brûlures. Dans ce cas, il faut vite consulter, car ces douleurs peuvent provenir d'une **infection urinaire** (cystite). C'est relativement banal, mais la maladie peut dégénérer assez rapidement si elle n'est pas soignée et provoquer des conséquences chez la mère (infections rénales) et chez l'enfant (menace d'accouchement prématuré).

Une élévation anormale de la tension artérielle doit également être surveillée, car il existe une maladie, heureusement rare, appelée **pré-éclampsie** (on parlait autrefois de toxémie gravidique), qui peut également avoir des conséquences graves (mort *in utero*, hypotrophie du fœtus). Cette maladie se manifeste également par des œdèmes (aux mains, aux chevilles) et une albuminurie* importante. Si vous êtes atteinte, votre médecin vous placera sous surveillance, parfois même à l'hôpital.

## ③⓪ LES RELATIONS AVEC LES AUTRES, LE TRAVAIL

La grossesse est aujourd'hui généralement bien acceptée dans le monde du travail. Le droit du travail protège les femmes enceintes. Un employeur ne peut vous licencier pendant votre grossesse (jusqu'à l'accouchement et après, durant un mois) et vous devez retrouver votre travail à votre retour de congé de maternité. Dans la pratique, les choses ne sont pas toujours aussi simples et vous avez intérêt à prendre quelques précautions.

Avant le troisième mois, nous vous conseillons d'annoncer votre grossesse à votre employeur et d'envoyer en recommandé avec accusé de réception un certificat médical attestant votre grossesse. Veillez également à en parler à vos collègues. Il est toujours préférable que la nouvelle soit connue de tous (pour éviter les jalousies et favoriser entraide et compréhension à votre endroit). Essayez à votre travail de ne pas être dans « votre bulle » et ne parlez pas trop de vos petits pépins de santé.

Annoncez suffisamment tôt vos souhaits concernant votre congé de maternité. Lorsque vous serez en congé de maternité, prenez des nouvelles de temps en temps et continuez de manifester de l'intérêt pour votre entreprise ou votre travail.

C'est aussi une façon de ne pas trop décrocher, et cela facilitera votre réadaptation à votre retour dans l'entreprise.

# La grossesse

| L'embryon et le fœtus | Vous et votre santé |
|---|---|
| **1 mois** (↑ 6,5 SA*) | Embryogenèse : formation de l'embryon, du placenta et du cordon<br>Le tube cardiaque apparaît (à trois semaines, premiers battements du cœur) | Nausées, troubles digestifs et du sommeil, constipation<br>Seins gonflés (glandes mammaires)<br>Tabac et alcool fortement déconseillés<br>Risques principaux : fausse couche, GEU<br>Consultez votre médecin en cas de saignement<br>Pas d'automédication |
| **2 mois** (↑ 10,5 SA) | Organogenèse : les organes et les membres se forment (intestin, estomac, foie)<br>La tête grossit<br>Squelette et muscles<br>Tous les organes vitaux existent | Commencez la prévention des vergetures en hydratant deux fois par jour les zones sensibles |
| **3 mois** (↑ 15 SA) | **Le fœtus**<br>Différenciation sexuelle : appareil génital<br>Premiers mouvements<br>Cordes vocales (mais pas de sons)<br>**Taille : 10 cm ; poids : 45 g** | Idem |

*SA = semaine d'aménorrhée

# mois par mois

| Examens | Vos droits, vos démarches |
|---|---|
| Tests de grossesse positifs<br>**Premier examen prénatal :**<br>• entretien avec le médecin (calcul du début de la grossesse, évaluation des risques éventuels)<br>• examen médical et gynécologique<br>• examen de laboratoire : analyse d'urine (albuminurie, glycosurie); analyse de sang (sérologie de la rubéole et de la toxoplasmose, groupe sanguin et rhésus, dépistage de la syphilis, dépistage du sida proposé) | À la fin de l'examen, le médecin vous remet les feuillets à remplir pour la **déclaration de grossesse** |
| **Premier examen**, s'il n'a pas encore eu lieu | Choix d'une maternité et inscription |
| **Première échographie** (en général vers 12 SA) : dépistage des grossesses gémellaires, recherche d'éventuelles anomalies, mesure du fœtus<br>Si vous n'êtes pas immunisée, une sérologie de la toxoplasmose sera effectuée tous les mois. De même, les femmes qui ont un rhésus négatif feront l'objet d'un contrôle sanguin aux 3e, 6e, 8e et 9e mois | Avant la fin de la 14e semaine de grossesse, envoyez les trois feuillets de déclaration de grossesse (2 feuillets bleus à l'organisme de prestations familiales, 1 feuillet rose à l'assurance maladie - CPAM)<br>Le cas échéant, inscription à la crèche<br>Avertissez votre employeur de la grossesse (conseillé mais pas obligatoire) |

# La grossesse

| | L'embryon et le fœtus | Vous et votre santé |
|---|---|---|
| **4** mois (↑ 19 SA*) | L'appareil digestif se met en marche<br>Le visage se modèle, les cheveux poussent<br>Le corps est recouvert de duvet | Arrêtez les sports éprouvants<br>Consultez en cas de contractions, de saignements, de fièvre, d'éruption cutanée<br>Recommandations valables jusqu'au bout de la grossesse |
| **5** mois (↑ 23,5 SA) | Le mois du mouvement<br>Il ouvre, ferme la bouche et suce son pouce<br>Il entend les bruits et dort beaucoup | Vous sentez le fœtus bouger en vous |
| **6** mois (↑ 28 SA) | Véritables bourrades (flexions, extensions des membres)<br>Il voit<br>Le profil et les traits deviennent nets<br>Le cerveau se développe<br>**Taille moyenne : 30 cm**<br>**Poids moyen : 1 kg** | Attention à votre prise de poids : ne pas dépasser 1 kg par mois en moyenne<br>Repos conseillé aux femmes qui présentent un risque d'accouchement prématuré |

*SA = semaine d'aménorrhée

# mois par mois

| Examens | Vos droits, vos démarches |
|---|---|
| **Deuxième examen prénatal**<br>HT 21 (facultatif, mais conseillé) : dosage sanguin d'hormones placentaires pour dépister la trisomie 21 ; en fonction du résultat, une amniocentèse est proposée<br>Amniocentèse (à partir de 15 SA) pour certaines grossesses à risques | Envoi de l'attestation correspondant au 2e examen |
| **Troisième examen prénatal**<br>**Deuxième échographie** (entre 20 et 22 SA) : examen morphologique complet du fœtus<br>Tous les organes sont vus un par un | Envoi de l'attestation correspondante<br>Premier versement mensuel de l'allocation au jeune enfant (sous réserve d'examens de vos ressources)<br>Cette allocation (184,62 € en 2014) est versée tous les mois jusqu'à la 3e année de l'enfant |
| **Quatrième examen prénatal**<br>Prise de sang (numération globulaire, dépistage de l'hépatite B et du diabète) | Envoi de l'attestation correspondante |

# La grossesse

| L'embryon et le fœtus | | Vous et votre santé |
|---|---|---|
| **7** mois <br> (↑ 32,5 SA*) | L'éveil des sens : le fœtus voit, entend, goûte, touche… Perfectionnement du système nerveux | Reposez-vous <br> Évitez les efforts trop importants (porter des choses lourdes, monter les escaliers trop souvent) |
| **8** mois <br> (↑ 36,5 SA) | L'enfant est généralement dans sa position définitive (le plus souvent tête en bas) Les poumons s'achèvent À la fin du 8e mois, on ne parle plus de prématuré | Idem |
| **9** mois <br> (↑ 41 SA) | Le duvet disparaît peu à peu L'ossification se poursuit, mais elle ne se terminera qu'après la naissance (fontanelles*) Le système nerveux lui aussi ne s'achèvera qu'après **Taille moyenne : 50 cm** **Poids moyen : 3,2 kg** | Idem <br> Accouchement à terme |

*SA = semaine d'aménorrhée

# mois par mois

| Examens | Vos droits, vos démarches |
|---|---|
| **Cinquième examen prénatal**<br>**Troisième échographie :** pour vérifier la bonne croissance du fœtus et dépister une éventuelle hypotrophie* ou macrosomie* ; vérifier la position (tête ou fesses en bas) | Envoi de l'attestation correspondante<br>**Préparation à l'accouchement** |
| **Sixième examen prénatal**<br>**Visite chez l'anesthésiste** | Envoi de l'attestation correspondante<br>**Début du congé maternité**<br>(pour les deux premiers enfants : 6 semaines avant la naissance + 15 jours pathologiques éventuels) |
| **Septième examen prénatal**<br>2 ou 3 semaines avant la naissance, visites régulières (chaque semaine) à la maternité<br>**Bilan de péridurale**<br>Radiopelvimétrie le cas échéant | Envoi de l'attestation correspondante<br>Préparation de votre valise et du trousseau du bébé<br>**Tenez-vous prête !** |

# L'ACCOUCHEMENT

•

### ㉛ Tu n'enfanteras plus dans la douleur

« Tu enfanteras dans la douleur », la sentence biblique n'a plus cours aujourd'hui. L'évolution des mentalités, les progrès de la recherche et des techniques en matière d'obstétrique sont allés de pair : aujourd'hui, accoucher dans la douleur n'est plus une fatalité. Dans les années 1950, le docteur Fernand Lamaze a mis au point une méthode dite « d'accouchement sans douleur ». Elle consistait à faire prendre conscience à la future mère de son corps et des différentes étapes de l'accouchement et à lui enseigner les techniques respiratoires utiles notamment au moment des contractions rapprochées (respiration superficielle et rapide, dite « du petit chien ») et surtout le blocage respiratoire au moment de l'expulsion. D'autres, plus tard, comme Frédéric Leboyer, ont mis l'accent sur la souffrance fœtale lors de l'expulsion, sur la nécessité de créer un climat de calme et de douceur dans les lieux d'accouchement et surtout de préserver le contact corps à corps, peau à peau avec la mère au moment de la naissance. À ces évolutions s'est ajoutée celle, considérable, de la **péridurale, anesthésie locorégionale** très largement répandue aujourd'hui.

Il existe d'autres méthodes d'anesthésie, qui sont utilisées dans certains cas (césarienne par exemple), comme la **rachianesthésie\*** ou même l'anesthésie générale. Par ailleurs, si la péridurale est contre-indiquée pour vous, il est possible d'utiliser des dérivés de la morphine en perfusion ou des gaz anesthésiants.

**L'acupuncture** est également proposée comme méthode d'analgésie dans certains établissements.

### Le point sur la péridurale

La péridurale est une **injection d'anesthésique dans l'espace qui entoure la «dure-mère»** (d'où son nom). Elle a pour but d'insensibiliser la région de l'utérus, du bassin et du périnée, tout en laissant la femme consciente. Pour pratiquer la péridurale, le médecin vous installe en boule soit couchée sur le côté, soit assise au bord du lit, afin de dégager l'espace pour piquer (dans le dos, au niveau des lombaires, entre deux vertèbres). Après avoir soigneusement désinfecté la région du dos concernée et fait une petite anesthésie locale, il pique (c'est indolore) et place un cathéter (sorte de petit tuyau très fin) qui permettra d'injecter du produit anesthésique tout au long de l'accouchement, sans avoir besoin de piquer à nouveau. ➡

Au bout de dix minutes environ, la région est insensibilisée. Il peut se produire que la péridurale marche plus ou moins bien, ou mieux d'un côté du corps que de l'autre, mais c'est assez rare.

Aujourd'hui, toutes les femmes peuvent bénéficier de la péridurale, à condition qu'un anesthésiste soit là pour la faire, que le **bilan de péridurale** le permette et que la demande soit faite suffisamment tôt. Elle est remboursée par la Sécurité sociale. Cependant, il existe un certain nombre de contre-indications : malformations vertébrales, antécédents d'accident à l'anesthésie, troubles de la coagulation. Par ailleurs, si, à la dernière minute, vous avez de la fièvre ou une éruption cutanée dans la zone lombaire, la péridurale ne pourra avoir lieu.

La péridurale est **sans danger** pour l'enfant et pour la mère : tout au plus ressentirez-vous des maux de tête, des sensations de lourdeur. Certaines femmes se plaignent de ne plus sentir leurs jambes ou encore ont la sensation d'être coupées en deux. Mais le principal reproche qui lui est fait, c'est d'enlever les sensations au moment de l'accouchement et de perdre la maîtrise de l'événement. C'est partiellement vrai, vous ressentirez certaines contractions et les mouvements du fœtus, mais très atténués, et si vous avez fait une bonne préparation à l'accouchement, vous vivrez pleinement la mise au monde. ➡

La péridurale est non seulement une anesthésie de confort, mais c'est aussi **une garantie en cas de problème** : si les médecins décèlent une anomalie de son rythme cardiaque pouvant traduire un manque d'oxygène…, ils peuvent aussitôt intervenir avec les moyens appropriés, sans risque pour la mère, ni pour l'enfant. Dans certains cas, la péridurale est médicalement conseillée : pour une césarienne, par exemple, ou une grossesse à risques.

La péridurale n'est pas obligatoire, et vous êtes parfaitement en droit de ne pas la demander.

## 32 LA PRÉPARATION À L'ACCOUCHEMENT

La péridurale ne dispense pas d'une bonne préparation à l'accouchement, bien au contraire. La Sécurité sociale rembourse huit séances de préparation (quelle que soit la méthode que vous choisirez).

La **préparation classique** débute vers le sixième mois. Elle est pratiquée par des sages-femmes et s'inspire largement des méthodes enseignées par le docteur Lamaze : connaissance du corps et du processus de la mise au monde, apprentissage des techniques respiratoires de base (respiration complète ou superficielle, blocage de la respiration), exercices d'assouplissement et de contrôle de la région périnéale et abdominale… Elle peut également s'accompagner de vidéos sur la péridurale, l'accouchement…

D'autres **méthodes** parfois **complémentaires** sont largement répandues aujourd'hui : relaxation, yoga, sophrologie\*, haptonomie\*, travail en piscine…

Renseignez-vous le plus tôt possible sur les différentes possibilités qui vous sont offertes près de chez vous ou à la maternité.

## ㉝ QUAND PARTIR À LA MATERNITÉ ?

Toutes les femmes se posent la question. Vais-je partir au bon moment ? Les **signes précurseurs** de l'imminence de l'accouchement sont des **contractions** utérines rythmées, régulières et rapprochées, la perte du bouchon muqueux (bouchon de glaire de couleur grisâtre, parfois mêlé de sang, qui obstruait le col) et la rupture de la **poche des eaux** (léger écoulement d'eau ou rupture totale). Les deux derniers signes ne sont pas toujours décelables. Parfois même, la rupture de la poche des eaux ne se fait pas seule et le médecin la rompt au moment de l'accouchement. L'expression « être né coiffé » vient de là : ce sont les enfants qui naissent sans que la poche de liquide amniotique soit rompue (Louis XIV était né coiffé !).

Certaines femmes souhaitent **accoucher à domicile**. C'est possible, mais formellement déconseillé pour les primipares. S'il s'agit d'un deuxième ou d'un troisième enfant, il faut bien veiller à tout préparer avec votre médecin, en sachant qu'au moindre problème, il vous enverra à l'hôpital le plus proche. Il existe aujourd'hui des pratiques intermédiaires, comme l'accouchement ambulatoire (l'essentiel de la mise au monde se passe à la maternité, le suivi avant et après étant fait par une sage-femme au domicile).

Le **déclenchement** de convenance pour des raisons personnelles est pratiqué de temps en temps, mais reste une exception. Il n'est possible que si votre col est déjà un peu ouvert. Parfois, on déclenche l'accouchement pour des raisons médicales (dépassement de terme, hypotrophie* du fœtus, hypertension…). Une perfusion **d'ocytocine** (hormone qui provoque les contractions) est alors pratiquée. Cependant, si elle est efficace pour déclencher les contractions, elle l'est moins pour l'ouverture du col et, souvent, on utilise également un gel, un comprimé vaginal, ou encore un petit ballon gonflé au dessus du col, qui agissent sur le col lui-même. Toutefois il arrive que le déclenchement ne fonctionne pas et que le médecin soit alors obligé de pratiquer une césarienne*.

### Les différentes présentations du fœtus

Dans la majorité des cas, le fœtus se présente **tête en bas, le sommet** du crâne en premier. Mais d'autres présentations existent.

**La présentation de la face** : le fœtus est tête en bas, mais la tête est rejetée en arrière. L'accouchement se fait normalement ou par césarienne.

**La présentation du front** : l'accouchement par césarienne est obligatoire.

**La présentation transversale** : le fœtus est en travers de l'utérus. La césarienne est obligatoire.

**La présentation du siège** est assez fréquente : dans ce cas, dès que cette position aura été décelée, on vous fera une radiopelvimétrie* afin de déterminer si votre bassin est assez large. S'il y a un risque, les médecins recommandent la césarienne.

### Quelques précautions à prendre, surtout pour les primipares*

Soyez prête à partir dès le début du neuvième mois : préparez vos papiers (carte d'identité, carte Vitale, carte de groupe sanguin…) ainsi que votre valise et celle du bébé. À la maternité, on vous a remis des conseils à ce sujet ; voici les plus importants :

• **Votre valise :** deux chemises de nuit, un grand tee-shirt, des chaussons chauds et confortables, un peignoir, des soutiens-gorge d'allaitement ou de grands soutiens-gorge, des culottes jetables (en coton ou en papier), votre trousse de toilette et tous les objets personnels dont vous avez besoin, un séchoir à cheveux.

• **Celle du bébé :** six ou sept bodies en coton qui s'ouvrent par des pressions sur le devant et l'entrejambe, deux ou trois pyjamas plus ou moins chauds selon la saison, des couches en tissu (coton), un gilet de laine, une serviette de toilette. Le reste est fourni par la maternité. Pour la sortie, une petite couverture en laine ou une gigoteuse peuvent être utiles. N'oubliez pas le siège de transport adapté à votre bébé si vous repartez en voiture.

Si vous ressentez des contractions régulières et rapprochées ou si vous avez perdu les eaux, partez sans tarder et évitez de manger avant votre départ. Si vous arrivez trop tôt, la sage-femme, après vous avoir examinée, vous renverra chez vous pour vous reposer.

En cas d'urgence ou en pleine nuit, si vous n'avez pas de moyen de locomotion disponible, appelez les pompiers ou le samu.

## ㉞ LE TRAVAIL ET LA MISE AU MONDE

L'arrivée à la maternité vous réserve parfois quelques surprises. Bien sûr, tout est prévu pour vous prendre en charge, mais il peut se produire que, ce jour-là ou cette nuit-là, il y ait beaucoup d'accouchements ou qu'un problème particulier se pose à la maternité. Tout le monde ne sera peut-être pas là pour vous accueillir ou, en tout cas, pas comme vous le souhaiteriez. Surtout soyez patiente et sereine. Manifestez-vous au secrétariat ou au bureau des sages-femmes et attendez tranquillement. Quelqu'un va venir vous examiner au plus vite. Si le travail n'est pas encore très avancé, on vous installe dans une chambre et la sage-femme vient régulièrement vérifier l'état de votre col. Puis, elle vous conduit en salle de travail pour la mise au monde (là, tout est installé pour l'accouchement, notamment la table de travail et les écrans de monitorage qui permettent de suivre le rythme cardiaque du fœtus pendant tout l'accouchement). On vous met sous perfusion et on pose sur votre ventre deux capteurs, l'un pour mesurer le rythme cardiaque du bébé, l'autre pour les contractions.

La première période du travail s'appelle la **dilatation**, c'est-à-dire l'ouverture progressive du col de l'utérus. Cette phase peut être plus ou moins longue, surtout si c'est un premier enfant. La dilatation se mesure par le toucher vaginal, d'abord en doigts (on parle d'un col ouvert à un doigt, puis à deux doigts), puis en centimètres : elle est totale à 10 cm. Ensuite, lorsque l'enfant a traversé le bassin vient la phase de l'**expulsion** proprement dite. La sage-femme et/ou le médecin accoucheur vont vous guider pour cette étape cruciale, notamment pour régler votre respiration. À la fin, il faut cesser de pousser pour que l'enfant sorte doucement la tête. Parfois, mais de moins en moins souvent, il est nécessaire de pratiquer une **épisiotomie\*** (c'est-à-dire une petite incision, indolore) afin d'éviter une déchirure grave du périnée. Cette incision est recousue juste après l'accouchement et les fils se résorbent (ou sont enlevés) quatre ou cinq jours plus tard. Une fois la tête sortie, une nouvelle poussée permet de dégager le corps de l'enfant.

### Faut-il que le père soit présent?

Ces dernières années, on a mis beaucoup en avant le rôle des «nouveaux pères» avant la naissance et au moment de l'accouchement. Au point qu'aujourd'hui rares sont les maternités qui ne vous proposent pas de faire entrer votre conjoint dans la salle de travail. Toutefois, il est nécessaire sur ce point de bien réfléchir et de ne pas céder aux phénomènes de mode. Votre conjoint en a-t-il vraiment envie? En quoi peut-il être utile? Supportera-t-il le spectacle, si bouleversant soit-il? Ou préfère-t-il garder une autre image de vous? Et vous-même? Lorsque vous serez en train de pousser, avez-vous envie qu'il vous voie ainsi? Il vaut toujours mieux en parler avant, entre vous, pour éviter les malentendus et gâcher des moments précieux.

En cas de césarienne, les pères ne sont pas acceptés la plupart du temps au bloc opératoire pour des raisons d'hygiène; cependant, ils peuvent assister dès la naissance à la toilette du bébé.

À l'air libre, la cage thoracique de l'enfant se met en marche et il commence à respirer, souvent en poussant un premier cri. On le place alors sur votre poitrine, à votre contact. Puis, on coupe le cordon ombilical. Parfois, c'est l'émerveillement, tout de suite. D'autres femmes sont plus en retrait, soit parce qu'elles ont eu un accouchement difficile, soit parce qu'elles ne réalisent pas encore ce qui se passe. L'accouchement ne s'arrête pas là. Après la période de calme qui suit l'expulsion vient une nouvelle série de petites contractions, liées au fait que l'utérus se rétracte, favorisant le décollement du placenta. C'est la **délivrance**.

## L'accouchement par césarienne

L'accouchement par **césarienne**\* est un mode assez courant, notamment lorsque la présentation du fœtus l'exige, lorsque l'on est obligé d'interrompre une grossesse avant terme, ou encore quand l'accouchement ne peut se finir normalement (anomalies du rythme cardiaque du fœtus faisant craindre un défaut d'oxygénation, mauvaise position du fœtus, danger pour la mère…). La césarienne est une opération chirurgicale qui se fait sous anesthésie (locale – péridurale ou rachianesthésie – ou générale) et au bloc opératoire. On commence par raser les poils du pubis et désinfecter la région, puis un grand drap est posé devant vous, au bas de votre ventre, afin de masquer la zone opératoire. Le médecin incise le bas de la région abdominale horizontalement sur une dizaine de centimètres (la cicatrice est invisible ensuite car elle est masquée par les poils du pubis) et dégage l'enfant et le placenta. L'enfant vous est montré immédiatement : il n'est pas fripé ni déformé par le travail. Après l'opération, le médecin recoud l'utérus et la paroi abdominale. En général, les fils sont enlevés une semaine après. On vous conduit en salle de réveil pendant que votre bébé profite de sa première toilette. Comme dans un accouchement normal, les contractions se poursuivent, souvent plus douloureuses.

........................................................................................

💡 *Souvent, lorsque les médecins décident un accouchement par césarienne, c'est une déception pour les mères qui rêvaient d'un accouchement normal. De même lorsqu'ils utilisent les forceps en fin de travail. En fait, ce sont des décisions médicales prises dans l'intérêt de l'enfant et de la mère. Quoi qu'il se passe, gros ou petit imprévu, il ne faut pas vous sentir coupable d'avoir « mal poussé ».*

........................................................................................

## 35 LES IMPRÉVUS DE LA MISE AU MONDE

Si vous interrogez les femmes sur leur accouchement, elles vous diront en général que tout s'est très bien passé… à part tel ou tel petit ennui de dernière minute. De fait, il y a toujours des imprévus, petits ou gros, dans une mise au monde. C'est la raison pour laquelle une bonne préparation à l'accouchement et un travail d'équipe dans une maternité bien équipée sont toujours vos meilleures garanties. En salle de travail, si l'on décèle une anomalie du rythme cardiaque du fœtus, il arrive que le médecin **prélève une goutte de sang sur la tête** (c'est ce que l'on appelle le « prélèvement au scalp ») qui évalue l'état d'oxygénation du bébé.

**Les forceps et les spatules** (sortes de grandes cuillers permettant d'attraper et de guider la tête fœtale) et les **ventouses** (cupule fixée par aspiration sur la tête fœtale pour la tourner ou la faire descendre) sont utilisés lorsqu'il faut accélérer le processus de la mise au monde (lorsque l'on décèle un changement brusque du rythme cardiaque du fœtus, par exemple). Ils ne sont employés que si l'enfant est déjà bien engagé dans le bassin. Si ce n'est pas encore le cas, les médecins auront recours à la césarienne. Lorsque le travail est long, l'enfant naît souvent avec une tête légèrement déformée en longueur, en « pain de sucre ».

Des **déchirures du périnée** peuvent se produire sur le sphincter de l'anus. Elles imposent une réparation immédiate, puis un traitement antibiotique et un régime particulier pendant quelques jours. Elles peuvent entraîner des incontinences qui se rééduquent en quelque temps.

La **délivrance** ne se fait pas toujours naturellement et le médecin est parfois obligé de décoller artificiellement le placenta en le retirant à la main de l'utérus. Parfois aussi, un fragment de placenta est resté dans l'utérus, ce qui se manifeste par une hémorragie. Le médecin pratique alors une révision utérine en extrayant le morceau de placenta à la main. Tout cela est indolore si vous êtes sous péridurale, sinon vous serez endormie complètement.

# APRÈS L'ACCOUCHEMENT

•

## 36 VOTRE ENFANT, COMMENT VA-T-IL ? PREMIERS TESTS

À la naissance, votre enfant est posé délicatement sur votre ventre ou votre poitrine, mais vous n'avez pas toujours le temps de bien le découvrir, car il est vite emmené pour une première toilette et un premier examen obligatoire. L'enfant naît avec le teint bleuté qu'il avait à l'intérieur de l'utérus. À l'air libre, il se met à respirer et son teint devient plus rose.

Dès les premières minutes, l'équipe pédiatrique vérifie, par une batterie de tests appelée le **score d'Apgar**, la bonne adaptation de l'enfant à la vie extra-utérine. Cinq points sont vérifiés :

- Le cri est-il vigoureux, faible ou absent ?
- La respiration est-elle normale, irrégulière, absente ?
- La coloration de la peau est-elle rose, cyanosée ou pâle ?
- Le tonus est-il normal, faible ou absent ?
- Le cœur bat-il régulièrement, lentement, irrégulièrement, ou pas du tout ?

Cette batterie de tests est faite à la naissance et renouvelée trois, cinq et dix minutes après. L'ensemble des scores est reporté sur le carnet de santé de votre enfant.

La sage-femme fait la toilette et examine soigneusement le bébé : elle prend sa température, le pèse, le mesure, elle lui met un peu de collyre dans les yeux. Elle vérifie les organes génitaux et le bon fonctionnement des intestins, ausculte le cœur et les poumons. Le crâne, surtout s'il s'agit d'un premier accouchement par voie naturelle, est parfois irrégulier, en pain de sucre (c'est la **bosse séro-sanguine**) : cela disparaît en quelques jours. L'examen des membres recherche une éventuelle malformation. La manœuvre de Damany-Ortolani permet de dépister une éventuelle **luxation de la hanche.**

Dans un deuxième temps, elle vérifie les réflexes principaux de la naissance : le grasping (réflexe de poigne : il s'accroche avec la main à votre doigt avec une vigueur telle qu'on peut le soulever), la marche automatique, la succion, les réactions de défense face au bruit…

Sur le cordon ombilical, on place une pince et on sectionne le bout qui dépasse. Ensuite, on met un peu d'antiseptique sur le cordon qui finit par se dessécher et par tomber au bout de quelques jours.

## Les soins d'urgence

**Lorsque survient un accident** ou que votre enfant a un problème quelconque, les maternités sont suffisamment équipées aujourd'hui pour y faire face, au moins pour les tout premiers soins. Parmi les problèmes qui surviennent, citons l'**ictère** (ou **jaunisse**) physiologique du nourrisson, dû au manque de maturité du foie qui ne parvient pas à éliminer la bilirubine, sorte de pigment qui colore de jaune la peau et les yeux. Pour guérir cet ictère, on place l'enfant dans une couveuse spéciale dans laquelle il reçoit des rayons ultraviolets (on lui protège les yeux). Cela ne présente aucun danger pour l'enfant. En quelques jours, la jaunisse disparaît.

Autre problème qui peut survenir au début : la **panne de respiration** (lorsque la respiration ne se met pas en route à la naissance). C'est souvent dû au fait que l'enfant a encore du liquide amniotique et des glaires dans la gorge. Les médecins connaissent les gestes rapides qu'il faut faire alors pour le dégager. Parfois, il faut pratiquer une **intubation** pour aspirer le liquide.

Ces soins d'urgence peuvent vous impressionner, rassurez-vous cependant, le nourrisson est très résistant et il a envie de vivre.

Un bracelet est mis autour du bras du bébé, portant son nom et sa date de naissance (on ne le confondra pas avec un autre).

Deux autres tests de dépistage sont pratiqués (vers le troisième ou le quatrième jour) : le **test de Guthrie,** qui vise à dépister une maladie extrêmement rare, mais susceptible d'entraîner un grave retard mental. Ce test se pratique en prélevant une goutte de sang au talon. On recherche aussi une éventuelle insuffisance de la glande thyroïde. Les résultats ne sont connus qu'au bout de quelques jours, et ne sont transmis aux parents qu'en cas de problèmes.

L'**échelle de Brazelton** (du nom du pédiatre américain qui l'a inventée) est constituée par un ensemble d'observations qui permettent d'évaluer le comportement néonatal de votre enfant : réflexes moteurs, état sensoriel général, réactions à des stimuli divers (sons), évaluation de la vigilance, analyse des comportements (tonus, capacité à être consolé, à sourire, à se défendre…). Dans la majorité des maternités, on dépiste également la surdité congénitale par la réalisation de PEA (potentiels évoqués auditifs) qui enregistrent les réactions du cerveau du bébé à un stimulus sonore pendant son sommeil.

## 🟤 À QUOI RESSEMBLE VOTRE ENFANT ?

Lorsque vous venez d'accoucher, vous n'êtes pas toujours en mesure de découvrir vraiment votre enfant. Ce n'est que lorsque l'on vous met dans votre chambre, avec votre bébé dans son petit lit, que vous faites véritablement connaissance avec lui. Profitez bien de ces moments, ils sont essentiels pour son équilibre et le vôtre.

Vous le saviez déjà grâce aux échographies, il est bien fait, il a tout ce qu'il faut et pourtant, vous ne vous attendiez pas à le voir si petit ou si maigre. Parfois, la différence de taille entre sa tête qui est assez grosse et le corps plus frêle, la forme de son crâne, l'aspect un peu fripé, encore violacé, de sa peau, vous surprennent. Tout cela est normal : un bébé à la naissance ne ressemble pas encore aux bébés Cadum des magazines.

Le comportement de votre enfant et son état général vont se modifier au cours des premiers jours : après une période d'éveil et d'attention, il dort ou somnole durant les 48 heures qui suivent. Il faut parfois le réveiller pour lui donner à boire. Ensuite, il trouvera son propre rythme. Le poids du bébé et les conditions de l'accouchement influencent son comportement général. Les gros bébés sont plus calmes et placides, les plus petits sont souvent plus agités. De même, si l'accouchement s'est bien passé, l'enfant sera plus calme.

Ne vous étonnez pas si votre enfant ne se comporte pas (notamment pour les heures des repas et le sommeil) comme le petit voisin d'à côté : tout petit, il a déjà sa personnalité propre. Certains crient très fort lorsqu'ils ont faim, d'autres non. Certains connaissent des rythmes réguliers très vite, les autres ont des comportements changeants pendant quelques jours.

........................................................................................

💡 *En moyenne, un bébé pèse 3,2 kg et mesure 50 cm à la naissance (un peu plus pour un garçon, un peu moins si c'est une fille) et son périmètre crânien est de 32 à 36 cm. Ces chiffres doivent s'apprécier, bien sûr, en fonction de la date d'accouchement (si votre bébé naît quinze jours avant terme, il pèsera moins). Par ailleurs, ces mesures ne préjugent en rien de son développement futur.*

........................................................................................

Vous saviez que votre enfant sentait énormément de choses *in utero*, maintenant, vous vous demandez ce qu'il perçoit vraiment.

- Il ne voit pas encore, mais il est sensible à la lumière et perçoit les formes et les contours à une distance de 25 cm environ.
- Il est sensible aux objets brillants, à la couleur rouge et aux visages qui le regardent. Ses capacités visuelles vont se développer rapidement.
- Il a le toucher très développé.
- Il entend parfaitement et reconnaît votre voix.
- Il reconnaît l'odeur du sein maternel.
- Il réagit aux saveurs fondamentales.

**Les mécanismes de l'attachement varient selon les femmes et les enfants.** Certaines, d'un simple regard, reconnaîtront leur enfant et s'y attacheront immédiatement; d'autres auront besoin de le toucher, de le caresser ou encore de faire sa toilette pour le sentir vraiment, et cela peut parfois prendre plusieurs jours. D'autres encore éprouveront avant tout le besoin de lui parler ou de chanter de petites berceuses. C'est également vrai pour les pères, pour qui la découverte est plus grande encore.

Le séjour à la maternité est fait pour ça. Il vous permet d'observer et de faire mieux connaissance avec votre enfant, en toute sécurité, puisque sages-femmes, puéricultrices et pédiatres sont là pour vous aider.

## 38 PREMIERS JOURS, PREMIERS SOINS

Si c'est votre premier enfant, vous serez sans doute angoissée à l'idée de vous occuper de ce petit être qui vous semble fragile et qui attend tout de vous.

**La toilette du bébé** est faite en général dans une salle équipée de petits lavabos ou de petites baignoires situés à la bonne hauteur. Les savons, serviettes et autres petits cotons nécessaires sont à portée de mains. Dès que vous êtes prête, les puéricultrices vous apprennent à lui donner le bain, à le manipuler, à le laver. C'est l'occasion d'un échange irremplaçable entre vous.

Le cuir chevelu est savonné au moment du bain. S'il y a des croûtes grasses (la séborrhée), massez la région avec de l'huile d'amande douce ou de la vaseline et rincez ensuite. Les yeux doivent être nettoyés avec une petite compresse et de l'eau bouillie ; seule la partie extérieure des oreilles (le pavillon) doit être lavée avec un petit coton humide. Les ongles sont coupés courts avec de petits ciseaux à bouts ronds. Les **organes génitaux** doivent être nettoyés très soigneusement sans pour autant qu'il y ait de précautions particulières à prendre. Pour les petites filles, on nettoie les moindres replis en veillant à laver d'avant en arrière, pour ne rien ramener vers la vulve. Les avis divergent quant au fait de savoir s'il faut décalotter le prépuce du petit garçon. Parlez-en au pédiatre ou aux puéricultrices. En aucun cas, la toilette de la verge ne doit être douloureuse. Séchez avec soin votre enfant après le bain.

Les premiers jours, les **soins du cordon** doivent retenir toute votre attention ; cela consiste à désinfecter les plis et replis formés par le cordon au niveau de l'ombilic. Puis, vous placez une compresse stérile que vous maintenez par une bandelette en tissu élastique. Le cordon finit par sécher et tombe au bout de quelques jours.

**Changez votre bébé très souvent** (la maternité vous fournira les couches premier âge). Cela suffit, en général, à **éviter les irritations du siège**. Nettoyez-le à chaque fois à l'eau tiède et au savon. Inutile d'appliquer des crèmes. Dès que c'est possible, laissez-le les fesses à l'air. Si votre bébé a les fesses rouges, utilisez une solution antiseptique (la maternité vous en fournit) pour la toilette du siège, rincez et séchez bien. Puis, avant de refermer la couche, mettez un peu d'éosine.

Ne l'habillez pas trop chaudement : c'est une tendance naturelle que de couvrir un enfant à la naissance, accentuée par le fait qu'il existe une grande différence entre la température du corps de la mère et la température extérieure. Au bout de quelques heures, vous pouvez l'habiller normalement, avec un body et un pyjama plus ou moins chauds selon la saison.

.......................................................

💡 *Lavez-vous les mains avant de le baigner. Tenez toujours votre bébé sous la tête. Contrôlez la température du bain (37 °C) et la température ambiante de la pièce (20-21 °C). Ne laissez jamais votre bébé seul. N'ajoutez jamais d'eau de Cologne dans le bain. Utilisez un gant de toilette ou la main nue, savonnez-le soigneusement avec un savon hypoallergénique.*

.......................................................

**Les repas et le sommeil du bébé sont intimement liés. L'allaitement** est aujourd'hui de nouveau conseillé à toutes les mères qui le veulent. Idéal pour la santé de l'enfant, le lait maternel contient tous les nutriments nécessaires à son équilibre alimentaire, il est particulièrement digeste et, de plus, il possède des vertus immunitaires (votre enfant est protégé de certaines maladies). Si vous n'avez pas assez de lait ou si votre enfant est particulièrement glouton, on vous proposera un biberon de lait hypoallergénique pour compléter. Vous pouvez allaiter quelques jours ou plusieurs mois selon vos possibilités. Les sages-femmes vous proposeront de le mettre au sein une première fois au bout de deux heures de vie et elles vous expliqueront comment vous y prendre. Le lait des deux premiers jours s'appelle le **colostrum**\*, il est particulièrement riche. Cette solution présente l'avantage d'être simple (pas de biberon à préparer !) et économique, de favoriser une relation privilégiée avec votre bébé en maintenant le plus longtemps possible les sensations d'osmose que vous aviez lorsque vous étiez enceinte. L'inconvénient est que le père ne peut vous être d'aucune aide dans ce cas ; et la nuit, il est parfois difficile de se réveiller !

Certaines femmes n'aiment pas la nature des rapports qui s'instaurent alors : elles ont l'impression d'être un animal. C'est une réaction fréquente et parfaitement respectable. Choisissez alors de le nourrir au biberon. D'autres ont peur d'allaiter car elles craignent d'avoir mal, de grossir ou d'avoir les seins déformés. Bien sûr, il y a les petits goulus qui se jettent sur vous et tètent si vigoureusement que cela provoque une sensation de douleur au début. À ceux-là, vous devez apprendre à téter sans vous mordre ! Mais si vous changez de sein à chaque tétée et si vous respectez de simples règles d'hygiène (utilisez des crèmes appropriées et des compresses stériles entre chaque tétée ; la maternité vous en fournira), vous éviterez les crevasses et toutes ces sensations désagréables ne seront vite qu'un mauvais souvenir. Quant au risque de vous abîmer les seins, il est en fait nul. S'agissant des problèmes de poids, s'il est vrai que l'allaitement prolongé peut changer quelque peu votre métabolisme, il est rare de prendre du poids lorsque l'on allaite et que l'on fait attention à ne pas manger deux fois plus. En revanche, une alimentation équilibrée et riche en laitages, en fruits et en légumes, facilite une bonne lactation.

Si vous choisissez de donner le biberon, le pédiatre vous conseillera un lait approprié. Les puéricultrices vous indiqueront les quantités à donner et vous apprendrez vite à connaître le rythme de l'enfant à cet égard. Le nombre et les heures de repas varient selon le poids et l'appétit de votre bébé. En général, à la maternité, le nourrisson prend six (ou sept) repas par jour. Parfois, c'est le couple lui-même qui décide de choisir le biberon, car le père peut alors s'occuper du bébé dès la naissance et le fait d'alterner permet à la mère de se reposer.

Beaucoup d'entre vous se demandent si elles savent préparer le biberon. Là encore, le séjour à la maternité va vous permettre de vous entraîner. Les laits premier âge, ou laits infantiles, sont conçus aujourd'hui pour être très proches du lait maternel. Vous mettrez une certaine quantité de lait en poudre et vous y ajouterez de l'eau minérale (pour les premiers jours, c'est préférable). Il faut surtout veiller à la température du lait : quelle que soit

la méthode (bain-marie, chauffe-biberon, micro-ondes),
vérifiez bien la température du lait avant de le donner
(en en versant une goutte sur le dessus de votre main).

Quantités par biberon et par jour

1er jour : 6 fois 10 g, + biberon de nuit

2e jour : 6 fois 20 g, + biberon de nuit

3e jour : 6 fois 30 g, + biberon de nuit

4e jour : 6 fois 40 g, + biberon de nuit

5e jour : 6 fois 60 g, + biberon de nuit

6e jour : 6 fois 70 g, + biberon de nuit

NB : ces quantités sont indicatives, mais elles varient suivant le poids et l'appétit du bébé. Vous augmenterez les quantités progressivement. Entre huit et dix semaines, lorsqu'il pèse 5 kg environ, votre enfant peut passer à cinq repas. Entre trois et cinq mois, il pourra passer à quatre repas.

Veillez à être confortablement assise et tenez votre bébé
à demi-incliné, la tête bien calée dans le creux de votre
bras. Utilisez un biberon spécial nouveau-né, avec une
tétine adaptée, inclinez le biberon suffisamment pour que
la tétine soit pleine de lait, retirez le biberon de temps
en temps et laissez au bébé le temps de déglutir et de
respirer. À la fin du biberon, serrez-le contre vous en

attendant qu'il fasse son rot (parfois même, il en fait un pendant le biberon). Ce petit renvoi de gaz conditionne une bonne digestion et un bon sommeil.

Souvent, votre bébé a le hoquet, c'est une réaction physiologique normale. Au bout d'un ou deux jours, tous ces gestes vous deviendront familiers.

Les selles de votre enfant sont noires ou verdâtres au début (c'est le **méconium**). Puis elles sont remplacées par des selles normales de couleur jaune d'or et grumeleuses, si vous allaitez au sein, ou de couleur verte si vous donnez le biberon (les laits maternisés contiennent du fer, d'où la couleur verte). Le nombre et la consistance de ces selles sont variables (de une à six par jour) et vont évoluer dans le temps. Il n'est pas rare que le nourrisson présente un petit épisode de constipation ou de diarrhée durant les tout premiers jours. Cela ne doit pas vous inquiéter. Il ne faut pas conclure tout de suite à une allergie au lait. Souvent, vous êtes soucieuse de savoir s'il prend bien, s'il grossit assez.

La prise de poids est une indication, certes, mais c'est surtout l'état général de votre enfant qui importe (a-t-il un bon sommeil, est-il calme, paisible, quelle est la couleur de sa peau ?…). Après la naissance, une perte de poids physiologique se produit (le bébé perd environ 5 à 10 %

de son poids de naissance durant les deux premiers jours), puis l'enfant grossit à nouveau. À son départ de la maternité, il a repris son poids.

À la maternité, votre enfant passe l'essentiel de son temps à dormir. Observez-le, écoutez-le respirer, le sommeil est un bon baromètre de l'état général de votre enfant. Apprenez à décoder ses pleurs, ses cris, ses gargouillis. Ce seront des indications précieuses lorsque vous rentrerez chez vous.

## 39 *BABY-BLUES* ET RETOUR DE COUCHES

La maternité n'est pas seulement le lieu où vous découvrez votre enfant, c'est aussi celui où vous recouvrez peu à peu votre forme. Et ce n'est pas si facile. D'abord, il faut composer avec ce corps encore endolori. Si vous avez eu une péridurale, les maux de tête accompagnés de sensation de picotements persisteront pendant un ou deux jours. La rétraction du muscle utérin se fait pendant les deux ou trois jours qui suivent l'accouchement : elle donne des contractions (les **tranchées**) qui sont renforcées si vous allaitez au sein. Vous aurez également la sensation bizarre d'une « boule » qui se promène dans votre ventre. C'est l'utérus qui reprend peu à peu sa place.

Les saignements qui l'accompagnent sont dus à l'élimination de la muqueuse qui entourait l'œuf. Cela ressemble à des règles abondantes et grumeleuses (les **lochies**) et peut durer plusieurs jours ou semaines. La maternité vous fournit des couches épaisses qui vous permettent d'être protégée. Une toilette soignée plusieurs fois par jour est indispensable, d'autant plus qu'elle facilite la cicatrisation de l'épisiotomie*. La vulve doit être nettoyée avec une solution antiseptique, bien rincée (avec la douche) et séchée à l'air chaud plusieurs fois par jour (le sèche-cheveux est idéal pour ça). Si vous éprouvez de la difficulté à vous asseoir, on vous proposera parfois de placer une bouée sous vos fesses. En général, la cicatrisation se fait en quelques jours et ne laisse aucune gêne. À tout cela s'ajoutent les problèmes de transit intestinal, qui peuvent être bénins ou plus importants, mais qui doivent toujours être signalés : constipation, gaz, accompagnés ou non d'hémorroïdes, font partie du tableau courant après une grossesse. Ces problèmes sont d'autant plus forts que l'on redoute toujours (à tort) d'aller aux toilettes de peur de déchirer la cicatrice. N'ayez pas honte d'en parler. Il existe des traitements et des régimes appropriés. Si vous avez eu une césarienne, tout cela sera accentué par le fait qu'en général on attend que le transit intestinal se soit rétabli pour vous alimenter normalement.

**L'incontinence urinaire** est, elle aussi, particulièrement désagréable et fréquente. Après l'accouchement, on vous conseillera sûrement une rééducation périnéale pour remuscler le périnée et le ventre. Cela vous permettra de récupérer plus vite un ventre plat et de prévenir les risques ultérieurs d'incontinence urinaire.

Autre inconvénient : la transpiration, surtout si vous allaitez, vous n'y échapperez pas. Autant le savoir, pour prendre quelques précautions utiles.

Pour faire face à ces petits ennuis, les équipes de la maternité sont là en permanence pour vous aider. Cependant, il n'est pas toujours facile, lorsque l'on est fatiguée ou que l'on a franchement mal, de savoir à qui s'adresser : entre le personnel de service (qui fait le ménage), les puéricultrices et leurs auxiliaires, les sages-femmes, le médecin accoucheur, l'interne de service, le pédiatre… vous ne saurez plus où donner de la tête et il vous arrivera sans doute d'expliquer à la personne qui vous apporte le déjeuner que vous avez besoin d'urgence d'un antalgique… Cette multiplicité des intervenants vous donnera parfois, paradoxalement, l'impression que l'on ne s'occupe pas de vous. Ce n'est évidemment pas le cas. Mais cela fait partie des sensations de solitude qui vous habitent normalement après l'accouchement.

**Le *baby-blues*** est l'une des manifestations les plus fortes de cette sensation de solitude. Il s'agit d'un état mélancolique qui atteint une grande partie des femmes qui viennent d'accoucher (de façon plus ou moins forte). Les moments de joie succèdent aux moments de chagrin, voire d'impuissance face aux nouvelles responsabilités qui vous incombent, face à la prise de conscience que rien ne sera plus comme avant. Vous avez besoin d'être dorlotée, prise en charge et tout le monde s'intéresse à votre bébé… En fait, cet état n'est pas dû seulement à des causes psychologiques, le bouleversement hormonal qui vient de se produire est aussi largement responsable. Pour passer ce cap, il faut vous protéger au maximum des éventuelles agressions extérieures, n'accepter que des visites courtes et qui vous font plaisir, dormir le plus possible et avoir un régime alimentaire équilibré. Ce n'est pas parce que vous avez un bébé qu'il ne faut plus vous occuper de vous, au contraire. Cet état disparaît en général au bout de quelques jours.

**Le retour de couches** (le retour des règles) après l'accouchement varie selon que vous allaitez ou non. Si vous n'allaitez pas, les premières règles reviennent entre six et huit semaines après, si vous allaitez, trois mois après. Elles sont assez abondantes. Mais attention,

## Choisir un prénom

Le choix du prénom doit être fait au plus tard au moment de la déclaration de naissance. Vous n'avez que l'embarras du choix. Si vous voulez suivre la mode, choisissez un prénom court, contenant beaucoup de voyelles (Léo, Léa, Cléo, Zoé, Lola…). Si vous voulez être vraiment «tendance», allez chercher du côté des pays latins des prénoms aux sonorités chaudes et chantantes. Vous pouvez également réviser vos «classiques» et piocher dans la gamme des prénoms bibliques, de Sarah à Gabriel en passant par Ève ou Salomé. Attention cependant aux prénoms trop chargés d'histoire, ils sont souvent durs à porter. Méfiez-vous également des choix dictés par les coups de foudre : n'affublez pas vos chers petits de prénoms qu'ils traîneront comme un boulet au pied durant toute leur vie. Vous choisissez **un prénom pour lui et pour la vie !** Pensez qu'il doit être facile à prononcer (l'enfant qui commence à parler doit pouvoir dire son prénom sans trop de difficulté). Sachez enfin que si un prénom est jugé susceptible de nuire à l'enfant (prénom ridicule, par exemple) par l'officier d'état civil, ce dernier peut avertir le procureur de la République. Le procureur de la République saisit le juge aux affaires familiales qui peut demander, le cas échéant, le changement du prénom.

cela ne veut pas dire que vous n'ovulez pas durant cette période. Tout le monde connaît des familles où les enfants n'ont que dix mois de différence. Si vous ne voulez pas que cela se produise, envisagez avec la sage-femme ou le gynécologue de la maternité la contraception que vous voulez suivre.

Il n'y a pas de contre-indication médicale au fait d'avoir des rapports sexuels après un accouchement, sauf à attendre que la cicatrisation de l'épisiotomie soit complète. Cependant, les couples préfèrent en général patienter quelques semaines.

## 40 Le retour à la maison

De plus en plus, la durée du séjour à la maternité se raccourcit : parfois, certaines femmes qui ont déjà eu un enfant et qui ont eu un accouchement normal sortent au bout de deux ou trois jours. Pour un premier enfant, il est sans doute préférable de profiter du séjour pour vous familiariser avec les soins à donner à votre enfant. Avant la sortie, le pédiatre pratique un examen complet de votre bébé (l'examen dit du huitième jour ou examen néonatal) : il regarde la courbe de poids pour voir si elle est à nouveau ascendante et vérifie son état général (réflexes, tonus, couleur de la peau…). Essayez d'y assister : c'est l'occasion d'apprendre beaucoup, on vous donne de nombreux conseils d'hygiène et d'alimentation pour votre bébé. L'ensemble des résultats et des informations nécessaires est consigné sur le **carnet de santé** de l'enfant qui vous est remis à votre sortie (soit par la maternité, soit par la mairie au moment de la déclaration de naissance). C'est un véritable carnet de bord de l'évolution de votre enfant. En dehors de l'examen néonatal, deux autres examens obligatoires donnant lieu à l'établissement d'un certificat de santé et conditionnant, le cas échéant, le versement d'allocations, devront être pratiqués : **l'examen du neuvième mois et l'examen des deux ans**. Ce carnet médical vous servira souvent comme **certificat de vaccination**. En effet, votre médecin y notera la date et la mention de chacune des vaccinations de votre enfant. Avant votre sortie, on vous donnera les coordonnées d'un pédiatre près de chez vous. Sachez également que votre PMI vous proposera l'aide d'une puéricultrice (vous serez contactée dès votre retour à la maison).

**La déclaration de naissance** doit être faite à l'état civil dans les trois jours qui suivent la naissance. En général, c'est le père qui se rend à la mairie du lieu de naissance avec le certificat que lui a donné la maternité et le livret de famille ou sa carte d'identité. Mais vous pouvez également le déclarer vous-même (un officier d'état civil peut passer sur place) ou encore demander à une tierce personne de le faire. On vous remet alors des fiches d'état civil.

À votre sortie de la maternité, vous repartirez avec le carnet de santé du bébé, les ordonnances pour vous deux, le certificat d'accouchement destiné à la Sécurité sociale, le certificat d'hospitalisation (si votre enfant a été pris en charge dans une unité pédiatrique, par exemple), le certificat de santé de l'examen néonatal que vous enverrez à la Sécurité sociale (CPAM) ainsi que celui destiné aux Allocations familiales. Votre dossier médical reste à la maternité. Veillez à prendre rendez-vous pour la **consultation postnatale (environ un mois et demi après l'accouchement)**.

Et, votre enfant bien calé dans son petit couffin, vous rentrez chez vous. Une nouvelle vie commence.

# PETIT VOCABULAIRE
# DE LA GROSSESSE

•

**Accouchement programmé :** Environ 15 à 20 % des accouchements aujourd'hui sont programmés à une date précise, soit sur proposition du médecin (si le terme est dépassé, en cas de souffrance fœtale ou si l'état de la mère l'exige) soit à la demande de la femme. On parle dans ce cas d'un déclenchement d'opportunité ou de convenance. Il s'agit en effet d'une possibilité mais tous les médecins et les maternités ne le proposent pas. La programmation (ou le déclenchement) de l'accouchement ne dispense pas, au contraire, d'une préparation et d'un suivi médical très précis.

**Albuminurie :** Présence de protéines dans les urines. Recherchée par une bandelette à chaque consultation. Peut correspondre à une infection urinaire ou à une pré-éclampsie*.

**Aménorrhée :** Absence de règles. C'est souvent le premier signe d'une grossesse. Le calcul du nombre de semaines d'aménorrhée est utilisé par les médecins pour définir l'avancement de la grossesse.

**Amniocentèse :** L'amniocentèse est la méthode la plus fréquemment utilisée pour analyser le caryotype fœtal. Elle consiste à prélever, à l'aide d'une longue aiguille fine, une petite quantité de liquide amniotique (10 à 20 ml) pour effectuer des dosages biologiques afin de débusquer d'éventuelles maladies génétiques (trisomie 21, hémophilie, mucoviscidose, myopathie)… ou des infections du fœtus. L'examen a lieu, à partir de la quinzième semaine d'aménorrhée, sous échographie. Au cours d'un entretien préalable, le praticien vous informe de ces différentes procédures. Elle n'est pas obligatoire mais conseillée aux femmes de plus de 38 ans ou à risque (antécédents familiaux ou de fausses couches, suspicion de trisomie 21…). Elle est alors remboursée par la Sécurité sociale. Aujourd'hui, la Haute Autorité de Santé recommande d'effectuer des dépistages plus précoces (mesure de clarté nucale, prise de sang) afin de diminuer le nombre d'amniocentèses.

**Césarienne :** Méthode d'accouchement qui consiste à pratiquer une incision de la paroi utérine (le mot « césarienne » vient du latin « caedere », qui veut dire inciser, couper) au bas du ventre de la mère et à en extraire le bébé. L'intervention est réalisée sous anesthésie locorégionale (péridurale ou rachianesthésie). La méthode est utilisée lorsque l'accouchement ne se déroule pas comme prévu (mauvaise présentation du fœtus par exemple). Il existe aussi des césariennes programmées, en accord avec le médecin, en cas de grossesse à risques par exemple mais aussi des césariennes dites de confort : en effet, de plus en plus, dans les pays développés, les femmes demandent à accoucher par césarienne pour éviter l'accouchement par voie normale. Chromosome : Petite structure située à l'intérieur du noyau de toutes les cellules et qui porte des gènes, c'est-à-dire des informations codées utiles au développement. L'anomalie chromosomique la plus fréquente est la trisomie 21 ou mongolisme.

**CMV :** Cytomégalovirus. Virus très fréquent chez les jeunes enfants. Peut donner des malformations fœtales graves lorsque la mère est contaminée en cours de grossesse.

**Cœlioscopie :** Intervention chirurgicale qui consiste à gonfler le ventre avec de l'air et à glisser par le nombril une caméra pour observer l'ensemble des organes à l'intérieur du ventre.

**Col :** Partie la plus basse de l'utérus, en forme de cylindre, qui doit rester fermée pendant la grossesse et s'ouvrir lors de l'accouchement. Le col peut se voir avec un spéculum et se toucher lors d'un toucher vaginal.

**Colostrum :** Liquide jaunâtre très riche en protéines et en anticorps produit par les glandes mammaires à la fin de la grossesse et au moment de la naissance (les deux premiers jours). Il protège le nouveau-né et renforce ses défenses immunitaires. Il est remplacé ensuite par le lait maternel. Distilbène : Substance prescrite aux femmes enceintes dans les années 1960 pour éviter les contractions. Peut donner des malformations de l'utérus chez les femmes dont la mère a reçu ce produit lors de sa grossesse.

**Embryon :** Être humain en développement jusqu'à la fin du troisième mois.

**Épisiotomie :** Intervention chirurgicale légère (petite incision) et quasi indolore survenant en fin d'accouchement pour faciliter l'expulsion du bébé et éviter une déchirure du périnée de la mère. Elle est de moins en moins pratiquée sauf en cas de présentation du bébé par le siège, s'il est trop gros, ou encore si l'état de la maman le nécessite. Fécondation *in vitro* : Technique qui consiste à ponctionner les ovocytes* de la femme sous échographie, puis à les mettre en contact dans un tube avec les spermatozoïdes* de son conjoint. Technique utilisée pour certaines stérilités masculines, féminines ou mixtes.

**Fibrome :** Boule de muscle fibreuse développée à l'intérieur de l'utérus. Très fréquents, les fibromes ne posent le plus souvent pas de problèmes lors des grossesses.

**Fœtus :** Être humain en développement du quatrième mois de grossesse à l'accouchement.

**Fontanelle :** Espace vide entre les os du crâne du nouveau-né qui permet à ces os de continuer à grandir après la naissance.

**GEU :** Grossesse extra-utérine. Développement de la grossesse en dehors de l'utérus, le plus souvent dans une trompe*. Si le diagnostic n'est pas fait, la trompe se déchire, provoquant une hémorragie interne parfois très grave. La GEU se manifeste le plus souvent par des saignements ou des douleurs en début de grossesse.

**Glaire cervicale :** Substance ressemblant à du blanc d'œuf cru, sécrétée par le col* de l'utérus, surtout au moment de l'ovulation, et qui permet la survie et le franchissement du col par les spermatozoïdes*.

**Grossesse gémellaire ou multiple :** Grossesse au cours de laquelle se développent deux embryons (jumeaux) ou plus. Ce type de grossesse survient le plus souvent, mais pas toujours, lorsque l'on prend un traitement contre la stérilité. La surveillance de la grossesse est plus rapprochée et le repos doit commencer beaucoup plus tôt, car le risque d'accouchement prématuré* est grand.

**Groupe sanguin - rhésus :** Substances présentes à la surface des globules rouges, et qui interdisent la transfusion de n'importe quel sang à n'importe qui (incompatibilité). Les deux principaux groupes sont le système ABO (groupes A, B, AB ou O) et le système D ou rhésus (+ ou -). Chez les femmes rhésus - (dont le nom du groupe se termine par -), il y a un risque d'incompatibilité avec son fœtus, pouvant aboutir à la mort de celui-ci. Pour cette raison, on recherche chez ces femmes l'apparition d'anticorps anti-D tout au long de la grossesse, et surtout on les vaccine avec des gamma-globulines anti-D à chaque saignement en cours de grossesse.

**Haptonomie :** Méthode de préparation à l'accouchement qui repose sur le toucher ; l'haptonomie est aussi largement utilisée pour faciliter les contacts entre le père et l'enfant.

**HCG :** *Human Chorionic Gonadotrophine*. Hormone sécrétée par le trophoblaste\* puis par le placenta\* dès le début de la grossesse. On dose sa chaîne bêta pour diagnostiquer une grossesse.

**Hépatite B :** Le virus responsable de ce type d'hépatite est recherché systématiquement chez toutes les femmes enceintes, car il existe un risque de transmission de la mère à l'enfant. Lorsque les femmes sont porteuses de ce virus, on vaccine systématiquement l'enfant à la naissance.

**Hypotrophie :** Fœtus ou nouveau-né trop petit pour son terme. L'hypotrophie peut être liée à un problème placentaire (pré-éclampsie\*), à une infection, au tabac, à une anomalie chromosomique\*. Elle peut aussi être familiale et sans gravité, surtout chez les parents qui sont eux-mêmes de petite taille. La première chose à faire si on trouve votre fœtus trop petit, c'est de vous reposer le plus possible sur le côté gauche, pour qu'un maximum de sang aille à l'utérus et que le placenta\* soit bien irrigué.

**IAC-IAD** : Insémination artificielle avec le sperme du conjoint (IAC) ou d'un donneur de sperme (IAD). Technique utilisée dans certaines stérilités féminines, masculines ou mixtes, qui consiste à déposer directement le sperme dans le col* de l'utérus.

**IVG** : Interruption volontaire de grossesse. Légalement possible jusqu'à 12 semaines de grossesse par une intervention chirurgicale appelée curetage. Il existe également une technique reposant sur la seule prise de comprimés, possible jusqu'à cinq semaines de grossesse.

**LH** : *Luteizing Hormone*. Hormone sécrétée par les ovaires en seconde moitié de cycle, juste avant l'ovulation qui survient quelques heures plus tard.

**Liquide amniotique** : Liquide fabriqué par le placenta* et le fœtus* qui le boit et l'urine tout au long de la grossesse. Il permet au fœtus d'être protégé des chocs extérieurs et de pouvoir bouger. On parle d'oligoamnios lorsqu'il y a trop peu de liquide amniotique, d'hydramnios lorsqu'il y en a trop. La ponction de liquide amniotique s'appelle l'amniocentèse*.

**Macrosomie :** Fœtus ou nouveau-né trop gros pour son terme. L'une des causes de macrosomie est le diabète. Le risque principal est la dystocie, c'est-à-dire un accouchement difficile ou impossible car le bébé n'arrive pas à traverser le bassin maternel.

**Mucoviscidose :** Affection génétique transmissible qui se traduit par des sécrétions trop épaisses, des difficultés parfois majeures à respirer et des occlusions intestinales. Le diagnostic est possible avant la naissance par amniocentèse* ou biopsie de trophoblaste*.

**Myopathie :** Affection musculaire, le plus souvent transmissible génétiquement, qui se traduit par une grande faiblesse musculaire, voire parfois par des paralysies. Certaines myopathies peuvent être diagnostiquées avant la naissance.

**Ovocyte :** Cellule femelle en cours de développement sur l'ovaire.

**Ovule :** Cellule femelle libérée par l'ovaire lors de l'ovulation. C'est elle qui est pénétrée par un spermatozoïde lors de la fécondation.

**Parvovirus :** Virus responsable d'anémie (manque de globules rouges) et d'excès de liquide amniotique chez le fœtus. Il est recherché dans le sang maternel ou par amniocentèse* lorsqu'il existe trop de liquide amniotique.

**Péridurale :** Mode d'anesthésie utilisé au cours de l'accouchement pour diminuer les douleurs sans modifier la mobilité des jambes et des muscles abdominaux, afin de permettre les efforts de poussée. Elle est réalisée en piquant avec une aiguille dans l'espace péridural (à l'intérieur de la colonne vertébrale) en y plaçant un tuyau très fin dans lequel on injecte des produits anesthésiants.

**Phlébite :** Obstruction d'une veine par un caillot de sang, le plus souvent dans une jambe. Elle se traduit par une douleur et un gonflement du mollet, et parfois de la fièvre. Si elle n'est pas diagnostiquée, le caillot peut migrer vers les poumons (embolie pulmonaire) et provoquer un arrêt respiratoire. Elle est traitée par des anticoagulants.

**Placenta (bas inséré, *praevia*) :** Le placenta est une grosse galette remplie de sang qui assure les échanges entre la mère et le fœtus. Lorsqu'il est bas inséré (ou praevia, ce qui veut dire la même chose), il peut saigner lors des contractions utérines et provoquer une hémorragie maternelle.

**Primipare :** Se dit d'une femme qui accouche pour la première fois.

**Rachianesthésie :** Anesthésie locorégionale utilisée en cas de césarienne\*. Elle insensibilise le bassin et les jambes.

**Rubéole :** Affection virale bénigne chez l'adulte, mais qui peut provoquer des malformations graves chez l'embryon ou le fœtus (notamment du cœur, des yeux et des oreilles) dont la mère attrape le virus pendant sa grossesse. Il existe un vaccin efficace qui doit être réalisé avant la grossesse.

**Séroconversion :** Apparition d'anticorps maternels contre une maladie donnée (toxoplasmose, par exemple) qui prouve que la femme a attrapé cette maladie pendant la grossesse.

**Sophrologie :** Méthode de relaxation qui agit contre la sensation de douleur et qui est souvent utilisée dans la préparation à l'accouchement.

**Spermatozoïde :** Cellule mâle présente dans le sperme, qui doit traverser le col* puis l'utérus et les trompes* où elle rencontre l'ovule.

**Test de Hühner :** Examen réalisé lorsque l'on explore une stérilité, pour apprécier la qualité de la glaire* et des spermatozoïdes*. Il consiste à réaliser, douze heures après un rapport sexuel en période ovulatoire, un prélèvement de glaire sur le col (c'est totalement indolore) et à y compter les spermatozoïdes.

**Toxoplasmose :** Maladie due à un parasite qui se transmet des chats à la terre puis à l'herbe et aux légumes, et aux animaux qui en mangent (bœuf, mouton, porc). L'homme se contamine soit en mangeant de la viande peu cuite, soit en mangeant des légumes mal lavés, soit en touchant des déjections de chat. La maladie elle-même est sans gravité et passe le plus souvent inaperçue, mais elle peut donner des malformations graves chez l'embryon ou le fœtus (notamment au niveau du cerveau et des yeux).

**Trompes :** Deux conduits très fins, de moins d'un millimètre de diamètre, qui relient l'utérus à l'ovaire.

**Trophoblaste** : Ébauche de placenta* au cours des premières semaines de grossesse. Il contient les mêmes cellules que l'embryon et peut être « biopsié » en début de grossesse pour rechercher des maladies chromosomiques*.

# SIGLES ET ADRESSES UTILES

•

**Bureau d'aide sociale de votre mairie :** c'est le premier endroit que vous devez connaître pour tous renseignements concernant vos droits, les lieux de garde d'enfants (crèches, assistantes maternelles…), l'école…

**CAF :** Caisse d'allocations familiales : caf.fr

**CNIDFF :** Centre national d'information et de documentation des femmes et des familles, 7, rue du Jura, 75013 Paris, site : infofemmes.com

**CPAM :** Caisse primaire d'assurance maladie (Sécurité sociale : 3615 SECU), site : securite-sociale.fr

**Direction du travail, de l'emploi et de la formation professionnelle :** pour tous renseignements concernant votre travail et vos droits

**Fédération nationale de jumeaux et plus :** présente dans 80 associations départementales, elle répond aux questions concernant les grossesses multiples, site : jumeaux-et-plus.fr

**FEPEM** : Fédération nationale des particuliers employeurs d'employés de maison, site : fepem.fr (le site vous indique le contact le plus proche de chez vous) ; pour joindre un conseiller : 0825 07 64 64

**Inter service parents** : 01 44 93 44 93

**Planning familial** : 10, rue Vivienne, 75002 Paris, tél. : 01 42 60 93 20. Un lieu d'information et de conseil concernant la contraception et la planification familiale, site : planning-familial.org

**PMI** : Protection maternelle et infantile. La PMI est un service public chargé de la protection médicale des futures mères et de leurs enfants de moins de six ans. Très efficace, elle peut, grâce à un personnel spécialisé et compétent, vous aider à domicile (envoi de sages-femmes ou de puéricultrices…) ou encore à travers les consultations médicales prénatales ou infantiles. Votre service départemental de PMI vous donnera tous les renseignements et les adresses vous concernant.

**Service-public.fr** : le site officiel de l'administration française. Pour tout renseignement sur vos droits et démarches.

## En Belgique

**ONE :** Office de la naissance et de l'enfance, 95 chaussée de Charleroi, 1060 Bruxelles, 2/542/12 11, site : one.be

**ONAF :** Office national des allocations familiales, 70 rue de Trèves, 1000 Bruxelles, 2/237/2112

**ONSS :** Office national de Sécurité sociale, site : onafts. fgov.be

## En Suisse

Il n'y a pas d'assurance maternité proprement dite. Les prestations dépendent des assurances contractées individuellement et par les employeurs. Pour se renseigner sur les différentes possibilités, contactez le centre de consultations et d'informations sur la grossesse. Il en existe dans chaque canton.

# Index

**A**

Accouchement, 99
 à domicile, 104
 prématuré, 61
Alcool, 78
Alimentation, 83
Allaitement, 124
Aménorrhée, 17
Amniocentèse, 37
Analyses de laboratoire, 30
Anti-inflammatoires, 79
Appétit, troubles de l', 85
Aspirine, 79
Automédication, 62
Avion, 80

**B**

*Baby-blues*, 129
Beauté, 80
Bébé, toilette du, 115
Biberon, 125

Biopsie du trophoblaste, 41

CAF, 56
Carte de priorité, 57
Césarienne, 110
Clinique, 50
Colostrum, 61, 125
Congé maternité, 68, 72, 73
Congé paternité, 74
Constipation, 85
Contractions, 103
Couvade, 16
CPAM, 50, 56, 72, 136
Cycle, 10

**D**

Déclaration de grossesse, 14, 56
Déclaration de naissance, 135
Délivrance, 110, 113
Diabète, 20, 31, 36, 44, 87
Dilatation, 108

**E**

Échographies, 34, 63, 69
Embryon, 23

Employeur, 57, 74, 91
Épisiotomie, 108, 130, 134
Examens, 30
Expulsion, 108

**F**

Fatigue, 25
Fausse couche, 26, 39, 42
Fécondation, 8, 10
Fertilité, période de, 10
Fœtus, 22, 23, 59, 67
Forceps, 112

**G**

Grippe, 89
Grossesse à risques, 20
Grossesse extra-utérine, 28, 29, 45
Groupe sanguin, 34
Guide de surveillance médicale, 56
Gynécologue-obstétricien, 55

**H**

Hémorroïdes, 85
Hormone hCG, 8
Hospitalisation à domicile (HAD), 54
Hypersalivation, 86

**M**

Masque de grossesse, 83
Maternité, choisir sa, 47
Méconium, 128
Médicaments, 62, 78
Menstruations, 10

**N**

Nausées, 7, 25, 85
Nidation, 23

**O**

Œuf clair, 26
Ovulation, 10, 11

Paje, 57
Père, 15, 109
Péridurale, 100, 102
Périnée, 113
Poche des eaux, 36, 103
Poitrine, gonflement de la, 7
Prématurité, 45, 48
Prénom, choisir un, 133
Préparation à l'accouchement, 65, 102

**R**

Reconnaissance anticipée, 58
Reflux gastro-oesophagien, 85
Règles, retard de, 7
Relations sexuelles, 77
Retour de couches, 132
Rubéole, 33

**S**

Sage-femme, 54
Score d'Apgar, 115
Sécrétions vaginales, 25
Sécurité sociale, 36, 65, 74, 86
Sexe, 18
Signes de grossesse, 7
Spermatozoïdes, 10
Sport, 78
Stérilité, 12

**T**

Tabac, 78
Température, méthode de la, 11
Test d'ovulation, 11
Test de Guthrie, 118
Test de Hühner, 12
Test urinaire, 8

Toxoplasmose, 33, 84, 87, 88
Transport, 79
Travail, 107
Trisomie 21, 39

Valise, 106
Varices, 86
Vergetures, 81
Vomissements, 85